COMMENT ÇA MARCHE ?

Directeur d'ouvrage : Benjamin Peyrel.

Photographie de couverture : © D.R.

Les éditions Paulsen sont une société du groupe Paulsen Media.

MICHEL CHEVALET

COMMENT ÇA MARCHE ?

Paulsen

« Pour changer la société, il faut changer les hommes.
Pour changer les hommes, il faut leur donner envie. »

Albert Einstein

PRÉFACE

La télévision est toute jeune lorsque le premier satellite artificiel *Spoutnik* est lancé en 1957. L'ajout de l'image au son donne un élan spectaculaire aux moyens d'information. Du statut d'auditeur, le Terrien passe à celui de spectateur du monde. Encore faut-il que l'image soit à la hauteur du son. La radio avait depuis longtemps engendré d'excellents reporters sachant conter l'histoire en cours avec des mots et un ton de voix captivant l'auditeur. L'arrivée de l'image, qui donne à voir le visage de l'orateur, est un atout indéniable, mais cette personnification ne rend pas pour autant l'information plus compréhensible. Pourtant nous vivons durant cette période un essor extraordinaire des technologies, dont la conquête spatiale naissante est certainement la plus impressionnante. Ces développements nouveaux imposent aux journalistes un indispensable effort de pédagogie pour que le spectateur ne soit pas perdu dès la première phrase décrivant telle ou telle technique. C'est d'autant plus vrai dans le domaine spatial, difficilement accessible au grand public, pour lequel les fusées et les satellites ne sont à l'époque que des objets virtuels et compliqués qu'ils ne verront jamais en vrai. On pourrait choisir de ne pas communiquer lorsque le sujet semble trop complexe. Mais la société ne grandit qu'à travers la connaissance. Il est donc très important de parler de ces prouesses techniques : cette communication contribue aussi, au-delà de la mission d'informer, à développer le sentiment de fierté et à inspirer les jeunes, pour les pousser vers les disciplines scientifiques dont se nourrit le progrès. Le besoin de vulgarisation et de sensibilisation paraît évident. Tout le monde doit comprendre. Il faut donc innover aussi dans l'art de communiquer. Un art que Michel Chevalet réinvente depuis plus de quarante ans grâce à ses propres recettes. Des recettes, des aventures improbables, des anecdotes croustillantes que j'ai découvertes en côtoyant Michel, devenu à la fois un conseiller et un ami depuis mes débuts d'astronaute. Il fallait les rassembler dans un livre, et qu'elles soient racontées par le protagoniste.

Voilà qui est fait dans cette autobiographie passionnante de l'inventeur du fameux concept télévisuel « comment ça marche ? », et qui aurait mérité d'être sélectionné comme grand reporter envoyé dans l'espace.

Jean-François Clervoy

INTRODUCTION

Je suis un enfant de l'espace. Je suis né avec. Ou plutôt j'ai grandi avec. Cette formidable aventure humaine et technique a jalonné mon existence. Le 4 octobre 1957, le jour où l'humanité est entrée dans l'ère spatiale avec les bips-bips de *Spoutnik 1* tombés du ciel, j'avais 18 ans. J'étais en prépa pour me présenter, en mai, aux différents concours d'écoles d'ingénieur. C'était cela que je voulais. Bâtir, construire, comprendre le monde que découvraient nos yeux d'adolescents boutonneux. Le grondement des fusées, ces engins qui marquèrent une rupture technologique et l'avènement d'un nouveau monde, a accompagné ma carrière et stimulé un enthousiasme que j'ai toujours voulu partager. Derrière les Von Braun et Korolev, il y avait une multitude d'ingénieurs, de techniciens qui ont calculé, construit ces merveilleuses machines au sommet desquelles se sont assis ces héros des temps modernes : les astronautes.

J'avoue avoir été comblé à mes débuts à la télévision par les missions *Apollo*. Tout y était : le spectaculaire et l'émotion ! Mais quand l'Amérique a tourné le dos à la Lune, au début des années 1970, quand l'aventure *Apollo* est apparue incompréhensible, irrationnelle, sans lendemain, les années qui suivirent furent celles des technocrates, des financiers, qui bannissaient le mot même d'aventure de leur vocabulaire professionnel. L'espace devenait un enjeu commercial. Il nous fallut, dès lors, faire preuve de beaucoup d'imagination, jouer avec des maquettes, monter des coups médiatiques avec la complicité des astronautes et, bien sûr, le regard bienveillant des autorités françaises, américaines, et même soviétiques, pour continuer à entretenir l'intérêt du public pour l'espace. Sans les astronautes, sans leur amitié, leurs conseils et leur passion, nous n'aurions guère pu passionner le téléspectateur. Cet ouvrage soulève un coin du rideau et vous fera découvrir l'aventure spatiale côté coulisses...

LA SCIENCE DES MAQUETTES

Ramener la réalité à l'échelle du jouet, voilà tout l'art du maquettiste. Et, avec lui, celui du vulgarisateur scientifique. La maquette, je suis tombé dedans quand j'étais petit.

La Seconde Guerre mondiale vient de s'achever. Autour de moi, le monde est à reconstruire. Partout s'élèvent d'impressionnants chantiers sur lesquels s'ébrouent, dans un nuage de poussière, les premiers *scrapers*, les premiers bulldozers, ces immenses engins laissés en cadeau par nos libérateurs américains. Les Trente Glorieuses, ces folles années d'innovations scientifiques et technologiques, démarrent sous mes yeux. Mes mains d'enfant s'agitent autour des plaques, des barres et des boulons d'un jeu de construction. Les psys trouvent toujours une explication à votre comportement, aux ressorts qui sous-tendent votre personnalité. Loin de moi l'idée de me livrer ici à cette introspection : pas de « Michel Chevalet, comment ça marche ? » au programme. Mais il n'empêche : il ne faut peut-être pas regarder beaucoup plus loin que dans la boîte d'un jeu de construction pour comprendre d'où vient ce souci de tout expliquer qui m'anime depuis le début de ma carrière.

Mon père n'est pas innocent dans cette affaire. Ce brave homme avait beau ne pas être scientifique pour un sou, il était curieux et lisait régulièrement des revues comme *Historia* ou *Science & Vie*. Pour un fils avide de connaissance, cela pouvait difficilement mieux tomber. Surtout, le cabinet où il était employé en tant que comptable avait parmi sa clientèle la succursale française de la société Hornby, célèbre fabricant anglais de trains miniatures et inventeur du Meccano, ce qui me valut, un soir de Noël, de recevoir une locomotive mécanique et ma première boîte de jeu de construction métallique. Le coup de foudre fut immédiat : ce jouet génial permettait de bâtir de façon plus vraie que nature, en faisant fonctionner un véritable mécanisme.

Enfant, j'habitais en banlieue parisienne, à proximité d'une voie ferrée. De la maison, on pouvait distinguer un express d'un train de banlieue au simple bruit des machines. Et comme à cette époque ils étaient – presque – toujours à l'heure, nous n'avions pas besoin de pendule chez nous. La vie était rythmée par le passage des trains. Cette mélodie ferroviaire, véritable bande originale de ma jeunesse, accompagna la naissance de ma passion pour les chemins de fer, puis pour les maquettes. En classe de seconde, je fus à l'origine d'un club des Cadets du rail qui rassemblait tous les jeunes gens affligés comme moi de cette terrible maladie : la ferrovipathie aiguë. Avec le soutien du magazine *La Vie du rail*, nous éditions même une revue dans laquelle je signais une rubrique régulière. Ce fut mon premier contact avec le journalisme. Et une excellente façon d'assouvir mon besoin de comprendre et faire comprendre. Après tout, on ne rend passionnantes pour les autres que les choses pour lesquelles on se passionne soi-même !

Mes études d'ingénieur, puis l'enseignement des mathématiques aux jeunes lycéens ont constitué la suite logique de ces découvertes. Là encore, la volonté de « digérer » et de s'approprier des connaissances était primordiale. Après tout, « comprendre », étymologiquement, c'est « prendre avec ». Une fois ce nouveau langage assimilé – car les mathématiques sont un langage, avec ses codes, ses règles, son vocabulaire, sa grammaire –, j'ai ressenti la nécessité de le partager. Comme dans le cas du Meccano, il s'agissait ici de démontrer que l'on maîtrise une logique de construction, que l'édifice en cours de fabrication tiendra debout.

J'aimais l'enseignement, mais le costume de professeur me semblait quelque peu étriqué. Je continuais à dévorer les publications scientifiques et prêtais une oreille attentive aux premiers vulgarisateurs scientifiques de ce que l'on n'appelait pas encore le PAF – le paysage audiovisuel français. À la radio, mes maîtres s'appelaient Lucien Barnier, sur Radio Luxembourg, et Albert Ducrocq, sur Europe 1. J'admirais leur talent mis au service de la démocratisation de la science. Lorsque Albert Ducrocq m'a permis de découvrir la conquête de l'espace, je me suis soudain dit : « Voilà ce que je veux faire ! Comme lui, je vais raconter la science et la technique. Comme lui, je vais faire partager ma passion pour ce que je découvre. » Facile à dire, mais finalement, avec un peu de chance, du culot et surtout beaucoup de travail, on provoque des opportunités.

La première occasion est justement venue de Lucien Barnier. Malgré l'admiration que je portais au chroniqueur scientifique de RTL, puis de France Inter, je lui avais écrit pour l'avertir que quelques erreurs s'étaient glissées dans l'un de ses papiers.

Pas rancunier, « Lulu la Science » m'avait répondu en me demandant de venir le voir dans le bureau qu'il occupait dans le 9e arrondissement, près de la rue des Martyrs. Sacrée consécration et fichu trac pour le petit prof de maths que j'étais. D'autant que cet homme à la voix reconnaissable entre mille ne se contente pas d'écouter mes remarques. Non, le voilà qui me met le pied à l'étrier en me proposant de l'aider dans son travail. Banco ! Durant les heures laissées libres par mes cours et mes corrections de copies, je me retrouve à écumer les événements scientifiques et les conférences de presse. L'occasion de croiser quelques grands noms du journalisme scientifique tels que Robert Clarke de *France-Soir*, Serge Berg, le fondateur de la rubrique science de l'AFP, ou encore François de Closets, qui travaillait alors pour la télévision et pour *Sciences et Avenir*. Que des références au sommet !

Difficile de trouver meilleure école. Difficile, aussi, de rêver meilleure période ! Les Trente Glorieuses battent leur plein et, dans tous les domaines, découvertes et progrès techniques se succèdent à un rythme effréné. Dans les années 1960 et 1970, on assiste aux grands débuts de l'électronique, de l'informatique, de l'aviation commerciale, de la grande vitesse ferroviaire et, surtout, de la conquête de l'espace… Pour quelqu'un que la science et la technique fascinent et qui brûle de les rendre intelligibles au commun des mortels, le travail ne manque pas. D'ailleurs, très rapidement, François de Closets me propose de collaborer à *Sciences et Avenir*. Dès 1970, nous consacrons un numéro spécial du magazine à l'informatique. Une première pour la presse française, qui va donner des idées à certains. Mes articles sont repérés par le journal *La Croix*, qui cherche un rédacteur capable de rendre compte et de commenter auprès du grand public l'extraordinaire foisonnement scientifique de l'époque. Toujours prof, me voilà désormais chroniqueur pour un quotidien. Mon emploi du temps se dessine sur du papier millimétré. Tous les matins, il me faut me précipiter à 4 heures au siège du journal pour prendre connaissance des Télex, rédiger articles et éditoriaux, puis repartir à fond de train retrouver mes élèves devant le tableau noir.

Ces derniers, généralement plus attentifs lors d'une séance de travaux pratiques que d'un cours magistral, confirment l'intuition de l'enfant devant les plaques, les vis et les écrous de son Meccano : pour comprendre le monde, une bonne maquette vaut mieux qu'une démonstration théorique. C'est sur ce principe que je m'appuierai plus tard dans mes activités de journaliste de télévision : en ramenant la réalité à l'échelle du jouet ; en me servant des facultés pédagogiques de ce dernier comme de son pouvoir de fascination (ce qui me permettra par exemple de rendre accessible la propulsion par réaction). Mieux qu'un cours théorique de physique, j'avais trouvé mon outil de travail, préférable à tous les schémas : le Meccano. Ou plutôt, la maquette.

Regardant, en noir et blanc, les premières émissions de télé sur la conquête de l'espace, et notamment l'arrivée de Neil Armstrong et Edwin Aldrin sur la Lune, en 1969, j'étais non seulement subjugué par l'exploit, mais aussi fasciné par les maquettes de la cabine d'*Apollo* et du module lunaire (*Lunar Module* ou LM, en anglais) qui trônaient sur les bureaux de Jean-Pierre Chapel et de Michel Anfrol, les deux commentateurs de l'exploit. C'était la première fois qu'on les voyait. Elles avaient été réalisées par Louis Dumont, un décorateur de la défunte Société française de production (SFP). Un personnage haut en couleur, bon vivant, jovial, avec une petite moustache, les joues rouges, le ventre rebondi et de l'or au bout des doigts. Picorant çà et là les rares schémas ou les quelques photos publiées dans les magazines, il avait été en mesure de reproduire la cabine d'*Apollo* et le LM. Comme à cette époque SFP et ORTF ne faisaient qu'un, il eut la présence d'esprit de proposer ses services à Jean-Pierre Chapel, « histoire de décorer le plateau », me confia-t-il. Quelle bonne idée il avait eue là !

D'accord, les maquettes étaient belles. Néanmoins, afin de rendre plus compréhensibles et plus « proches » les scènes qui se déroulaient à 384 400 kilomètres de notre bonne vieille Terre, il fallait encore les rendre fonctionnelles, manipulables, et plus seulement décoratives. L'occasion allait bientôt m'être offerte de mettre cette idée à exécution. En 1971, Jacques Alexandre, directeur de l'information de la deuxième chaîne, et Michel Péricard, le rédacteur en chef du journal télévisé, avaient, eux aussi, eu une bonne idée : celle de lire régulièrement *La Croix*. Ayant repéré mes articles, ils m'appelèrent un jour au lycée. Et voilà que débarque, au beau milieu d'un cours, un proviseur pas franchement ravi que l'on reçoive des coups de fil personnels. « Chevalet, téléphone pour vous. C'est la télévision », m'annonce-t-il avant de prendre en charge mes élèves. Michel Péricard me propose alors de venir remplacer au pied levé Jean-Pierre Chapel, resté coincé à New York. Face aux caméras, le petit prof allait enfin pouvoir donner libre cours à sa première passion : la science – ou disons plutôt la technique. Et, grâce au génie de Louis Dumont, mettre en place la seconde : la démonstration par les maquettes.

Mes débuts eurent lieu avec *Apollo 15*, fin juillet 1971. Pour la première fois, les astronautes n'allaient plus marcher sur la Lune, comme leurs six prédécesseurs, mais rouler dessus grâce à une Jeep. Il fallait qu'elle soit très légère et repliable pour pouvoir être transportée depuis la Terre. Pas de pneumatiques mais des roues en treillage métallique afin d'adhérer au sol lunaire recouvert de poussière. Quatre roues motrices, des batteries rechargées par panneaux solaires (déjà), une caméra couleur (la première !) et une antenne dirigée vers la Terre afin de faire découvrir (en direct, s'il vous plaît) le panorama. Mon collègue Jacques Tiziou, l'un des meilleurs spécialistes de l'espace, disposait de ses entrées à la NASA. Ses contacts lui avaient offert la chance de tester la réplique de la Jeep près de cap Kennedy, sur un terrain où l'on avait reproduit un morceau de Lune. Grâce à lui, nous avons pu disposer des plans et de quelques photos de l'engin. Il n'en fallait pas plus à Louis Dumont pour en fabriquer la réplique, un modèle réduit fonctionnel et télécommandé.

Et c'est là que l'on voit tout le talent et l'art du maquettiste. L'ensemble était fait à la main : tôles en aluminium martelées, cintrées, puis soudées ; roues métalliques modelées à partir de tamis de passoires à thé ; un gros bouton de manteau figurait la parabole de l'antenne satellite ; des boutons-pressions recouverts de peinture imitaient les robinets de la Jeep. De près, la « supercherie » sautait évidemment aux yeux, mais filmée en plan large, cela passait merveilleusement bien. D'ailleurs, le succès fut au rendez-vous. « Lorsque tu n'auras plus besoin de ta Jeep lunaire, tu pourras me l'envoyer pour que je joue avec... ? » m'écrivit même un jeune téléspectateur. En fait de jeu, ce sont les journalistes de la rédaction et les techniciens de plateau qui n'ont eu de cesse de la faire rouler dans les couloirs de Cognacq-Jay...

De par sa perfection et sa fonctionnalité, la Jeep lunaire de Louis Dumont a surtout eu le mérite de sensibiliser à la fois mes directeurs et le grand public au rôle pédagogique des maquettes. Elles étaient devenues des accessoires de plateau, du matériel de télé. La suite coule alors de source... Un volcan entre en éruption ? Vite, un coup de fil à Louis ! Rendez-vous chez *Lafont*, la brasserie emblématique de toute la télé, avenue Rapp. Là, sur une table de bistro, se griffonne un schéma dont, à force de plâtre, de bandelettes chirurgicales et de peinture, il tirera dès le lendemain une maquette de volcan qui, ô merveille, s'ouvre en deux pour dévoiler ses entrailles et le cheminement de la lave.

Après les volcans, les tremblements de terre ont été un autre de ses terrains de jeu. Quoi de plus excitant que de faire glisser des plaques tectoniques ? De montrer comment, tantôt elles se chevauchent, tantôt elles s'écartent ? Aussi clair, synthétique et explicite soit-il, un schéma reste une image figée, un instantané. Tandis que dans vos mains, la maquette donne, d'un seul coup d'œil, la notion d'échelle. Mieux : elle offre la possibilité de reproduire parfaitement les déplacements de l'écorce terrestre, invisibles à l'œil nu mais capables de mettre à terre des immeubles lors d'un tremblement de terre. D'ailleurs, ce qui sert pour rendre compréhensibles les phénomènes naturels peut tout aussi bien être utilisé pour expliquer une catastrophe ferroviaire.

17 octobre 1991, Melun. À 6 h 29 du matin, le train couchettes Vintimille-Paris est heurté par un convoi de marchandises. On se souvient de ces terribles images d'une locomotive

montée sur le toit d'un wagon-lit. Le drame fait seize morts et cinquante-cinq blessés. Mais, au-delà de l'horreur, une question demeure pour le professionnel de la télévision : comment expliquer une telle catastrophe en une minute trente, le temps d'antenne qui lui est imparti ? Connaissant bien la technique ferroviaire pour avoir effectué des accompagnements de conduite lors de mes stages d'ingénieur, je cours alors à la Maison des trains, passage du Havre, près de la gare Saint-Lazare. Dans cette boutique bien connue des passionnés de modélisme ferroviaire (mais disparue depuis), j'achète des rails, des aiguillages, des signaux, en plus de quelques voitures et wagons. Sur une planche, dans un coin de la menuiserie des studios de la rue Cognacq-Jay, Louis Dumont, toujours lui, est venu faire le montage du plan des voies. Une fois achevée la reproduction du faisceau de la gare de Melun, il est évident que le train de marchandises n'avait pas respecté le signal en bout de quai et avait percuté par le travers – on dit « pris en écharpe » – le Vintimille-Paris, effectuant ce que les cheminots appellent un « cisaillement de voie ». La maquette a rarement mieux servi la quête de vérité journalistique.

Elle avait pourtant déjà fait ses preuves.

En janvier 1972, je quitte définitivement l'Éducation nationale pour rejoindre l'ORTF. Sept ans plus tard, *Ariane*, la fusée européenne, doit effectuer son premier vol depuis son nouveau pas de tir à Kourou, en Guyane. Après les missions *Apollo* et la conquête de la Lune, le lancement d'une fusée n'était plus, en soi, un événement – qui plus est celui d'*Ariane*, un lanceur dont la technologie remontait déjà à vingt ans ! Pour les journalistes chargés de suivre l'affaire, le défi consistait à faire rêver le téléspectateur. Ou, du moins, à gagner son intérêt.

Comme le premier lancement devait s'effectuer de jour, le matin, de façon à pouvoir filmer l'ascension de l'engin et ainsi détecter visuellement une éventuelle anomalie, nous avions choisi de jouer l'événement en direct, au cœur de l'après-midi, à Paris.

Le dispositif était le suivant : Jean-Pierre Chapel officiait sur le plateau à Cognacq-Jay tandis que je me trouvais avec mes confrères à l'Agora d'Évry. Bien entendu, j'avais installé à côté de moi, sur une table, la maquette du pas de tir, ainsi que celle d'*Ariane*, en coupe, pour pouvoir montrer les organes, la disposition des réservoirs, l'alimentation des moteurs, etc. Seulement, au fil des heures, l'engin refusait de partir. Rien que de très normal pour une première, mais l'incident avait eu le don d'agacer le président de la République d'alors, Valéry Giscard d'Estaing. Enfin, comble de malheur pour nous journalistes, le Centre national des études spatiales (CNES), qui n'était pas alors une maison de verre, avait fixé un embargo sur les images du lancement. En clair, il nous faudrait attendre vingt minutes entre le moment où *Ariane* s'élèverait dans les airs et celui où nous pourrions diffuser la vidéo. Rageant.

Heureusement, durant cette attente, le ministre de l'Industrie et de l'Espace, André Giraud, décide de rendre une petite visite aux journalistes, histoire de se dégourdir les jambes. Bien lui en prit ! Avisant la maquette qui trône à mes côtés, il l'examine et – ô stupeur – découvre que, derrière elle, mes équipes techniques ont dissimulé une bouteille de vin rouge, prélevée quelques instants auparavant sur la réserve des invités. Sage précaution qui relevait moins d'une soif difficile à étancher que d'une solide expérience des cocktails : pris par l'antenne, les journalistes sont souvent les derniers servis lors de ce genre d'événement. Quand ils ne sont pas tout simplement oubliés. Il fallait donc faire des réserves. Découvrant qu'*Ariane* sert de « cave à vin », André Giraud esquisse un sourire. Qui s'élargit quand ce Girondin d'origine s'aperçoit qu'il s'agit d'une bouteille de bordeaux. La glace est rompue. « Un journaliste qui boit du bordeaux est forcément un bon journaliste », s'amuse l'ancien polytechnicien. Saisissant l'occasion, je lui explique le problème que nous pose l'embargo.

« Qu'est-ce qu'on risque ? me répond-il.

– Qu'elle explose au décollage, monsieur le ministre... »

Et d'ajouter : « De toute façon, on ne cacherait pas un tel échec à grand monde : les Russes nous épient, au large des côtes, sur des chalutiers hérissés d'antennes. Quant aux Américains, ils se feront un plaisir de diffuser les images d'un loupé européen.

– Je vais voir le président. »

André Giraud sourit, tourne les talons et, vingt minutes plus tard, nous fait savoir que l'embargo est levé. On peut jouer le direct. Merci la maquette et merci la bouteille de bordeaux ! Ce jour-là, pourtant, *Ariane* ne partira pas. Ce n'est que le 24 décembre qu'elle s'élèvera avec succès. En direct sur TF1, évidemment.

Ariane a beau faire aujourd'hui la fierté des Européens et des Français, en matière de maquettes, les stars du petit écran restent la navette américaine et la station spatiale *Mir*. Là encore, leur élaboration fut une sacrée aventure. Côté américain, pas de problème pour se procurer les plans et les schémas avec la complicité de notre correspondant Jacques Tiziou et d'astronautes comme mon ami Jean-François Clervoy, qui a volé à bord à trois reprises. Résultat : pour le premier vol de *Columbia*, le 12 avril 1981, Louis Dumont avait réalisé une maquette des plus réalistes, d'1,80 mètre d'envergure, pesant 150 kilos. Une performance d'autant plus remarquable qu'il avait dû la réaliser chez lui, dans son petit appartement de Créteil. Faute d'atelier, il avait transformé sa salle à manger en annexe de la NASA, au grand dam de son épouse Monika, elle-même maquettiste mais aussi décoratrice, et de sa fille Sylvie.

Les choses se gâtèrent lorsqu'il fallut livrer l'engin à Cognacq-Jay, pour l'avoir sur le plateau lors du premier lancement de la navette. Trop grand, trop lourd, il ne passait pas par la porte d'entrée et encore moins par celle de l'ascenseur du HLM de Louis. Heureusement, nous n'avions pas épuisé toutes nos ressources. Jean-Pierre Chapel, qui avait été parachutiste avant d'embrasser la carrière de journaliste, disposait d'un solide carnet d'adresses regorgeant de contacts parmi les militaires. Et comme à Paris les pompiers sont des militaires, les voilà chargés de récupérer la maquette de la navette... Une mission officielle, bien sûr ! Puisqu'elle ne passait pas par la porte, il restait la fenêtre. Trois pompiers déploient donc la grande échelle pour atteindre le troisième étage. Un sapeur en tenue complète grimpe à toute vitesse et frappe au carreau d'un appartement. Imaginez la stupeur des badauds. Un suicide ou un malaise, pensent-ils. Rien de tel. Une navette spatiale allait prendre l'air au bout d'une corde !

Apollo/Soyouz en 1975 ; la station *Mir* en 1986 (que l'on modifiait chaque fois qu'un nouvel élément s'y amarrait) ; le télescope spatial *Hubble* en 1990 ; et enfin l'énorme station spatiale internationale, en 1998, sont venus compléter la collection de maquettes de TF1. Pour cette dernière, le talent de Louis Dumont avait encore fait des merveilles.

Les modules de la station étant cylindriques, il les avait représentés à l'aide de descentes de W.-C. en matière plastique. À l'extérieur, des morceaux de fil de fer jouaient le rôle des mains courantes saisies par les astronautes lors de leurs sorties dans l'espace. Pour imiter les énormes moteurs de propulsion, de simples dés à coudre avaient fait l'affaire, tandis que de grosses perles figuraient les réservoirs sphériques. Un coup de peinture sur le tout – blanc cassé, pour éviter les reflets à la télé – et le tour était joué.

Cette maquette, sans doute celle pour laquelle Louis Dumont donna toute la mesure de son immense talent, fut aussi son chant du cygne. En mars 1986, le gouvernement Chirac décidera de privatiser la première chaîne. Il faudra alors déménager l'antique Cognacq-Jay dans les locaux flambant neufs de Boulogne-Billancourt. Que faire de mes chères maquettes ? Où les entreposer ? Faute de place, elles seront reléguées sous des bâches, au fond d'un plateau, et beaucoup seront éparpillées ou disparaîtront « corps et biens ». Le cœur n'y est plus et la mode déjà passée à l'informatique – ou plutôt au dessin par ordinateur. Le coup de grâce sera la disparition de l'homme aux doigts d'or, Louis Dumont.

Seule consolation et suprême honneur, l'idée sera reprise et développée par l'émission de France 3 « C'est pas sorcier ». L'équipe de Jamy comprendra tout l'intérêt qu'il y a à utiliser les maquettes de manière pédagogique et ludique. Mieux : la technologie ayant évolué, la miniaturisation et l'électronique leur permettront des réalisations plus performantes. Surtout, ils auront un budget conséquent, ce que je n'ai jamais connu.

ARIANE, LE DÉFI EUROPÉEN

Devenu chef du service des « infos géné », Jean-Pierre Chapel finit donc par me convaincre de le rejoindre définitivement à l'ORTF. Tout auréolé de la gloire d'avoir fait vivre en direct l'arrivée de l'homme sur la Lune, Jean-Pierre continue de suivre assidûment l'actualité spatiale. Cette dernière est dominée par l'épopée *Apollo* côté américain et par les rondes des *Soyouz* autour de la Terre côté soviétique. Quant aux Européens, ils semblent pour le moment réduits au rôle de spectateurs. Mais les choses vont bientôt évoluer.

Voilà pourquoi je me retrouve à Bruxelles durant l'été 1973. Je suis chargé d'assister à la conférence ministérielle de la dernière chance. Celle où va se jouer l'avenir de l'espace européen : la naissance d'*Ariane*... ou son enterrement ! Et, à l'époque, l'ambiance est plus à la marche funèbre qu'à l'hymne à la joie.

Petit retour en arrière. Nous sommes au début de la décennie 1960, de l'autre côté de la Manche. Après avoir développé pendant près de six ans leur missile stratégique *Blue Streak*, les Britanniques décident d'y renoncer. Avec sa portée intermédiaire (3 000 kilomètres) et ses moteurs à carburant liquide dont les réservoirs sont longs à remplir, il s'avère obsolète. Incapable, par exemple, de riposter à une frappe nucléaire surprise. Londres décide de l'abandonner au profit d'un engin américain plus performant, le missile à poudre *Polaris*. Nos amis anglais se retrouvent ainsi avec, sur les bras, un outil dépassé et d'autant plus coûteux qu'il est expérimenté sur la base de Woomera, en Australie.

S'il y a bien une chose que l'on ne peut pas reprocher aux Anglais, c'est de manquer du sens des réalités et d'esprit commercial. Le gouvernement de Sa très gracieuse Majesté profite de l'intérêt manifesté pour l'espace par certains pays européens – dont la France du général de Gaulle, l'Allemagne, l'Italie et la Belgique – pour faire de son *Blue Streak* le premier étage d'un futur lanceur européen[1]. Bien entendu, il fait aussi en sorte que la plus grande partie du budget soit prise en charge par ses nouveaux partenaires... *Well done !*

En France, l'arrangement fait grincer les dents de certains, notamment au CNES. Fondé le 19 décembre 1961, le tout jeune Centre national d'études spatiales a pour mission de faire entrer la France dans le club très fermé des puissances spatiales, qui ne compte alors que deux membres : l'URSS et les États-Unis. Les professionnels qui y travaillent refusent la solution *Blue Streak*. Habituellement si soucieux de l'indépendance française, le général de Gaulle donne pourtant son accord[2]. C'est ainsi que naît, le 29 février 1964, l'ELDO[3], une entité aux fins exclusivement pacifiques : développer un

1. *In* Bernard Chabbert, *Les Fils d'Ariane*, Plon, 1986.
2. *In* France Durand de Jongh, *De la fusée Véronique au lanceur Ariane. Une histoire d'hommes, 1945-1979*, Stock, 1998.
3. Pour *European Launcher Development Organization.*

lanceur de satellites européens portant le joli nom d'*Europa*. Mais ce patronyme ne lui portera pas chance...

Plus que le fruit d'un projet scientifique, la fusée *Europa* est avant tout l'enfant borgne et boiteux d'un compromis politique. Au final, une sorte de tranche napolitaine élevée au rang d'engin spatial : le premier étage est britannique, avec le *Blue Streak* ; le deuxième français, avec *Coralie*, construit à partir des études menées pour les fusées-sondes *Véronique* et *Vesta* ; le troisième allemand, avec *Astriss* ; la coiffe et le satellite d'expérimentation sont confiés aux Italiens.

La suite, on la connaît : faute d'expérience et de coordination entre les différentes équipes nationales, le montage industriel tourne au fiasco. Au lieu d'une fusée à trois étages, l'Europe a construit trois fusées à un étage. Lors des dix vols d'essais, seul le vieux *Blue Streak* fonctionne à peu près correctement. Et encore, à cinq reprises seulement. L'étage français, lui, « oublie » par deux fois de s'allumer. Quant à la partie allemande, elle s'arrête elle aussi prématurément à deux reprises. Enfin, comble de malheur, pour le dernier lancement le 12 juin 1970, alors que tout semble cette fois fonctionner parfaitement, la coiffe censée abriter les futurs satellites ne se sépare pas...

Malgré cette série d'échecs cuisants, les promoteurs du programme spatial européen n'ont pas encore bu le calice jusqu'à la lie. Le clou de ce piteux spectacle a lieu le 5 novembre 1971, lors du lancement de la deuxième version de la fusée depuis Kourou en Guyane.

Ce jour-là, sur le nouveau pas de tir, ELA, se dresse fièrement la silhouette élancée d'*Europa 2*. Censée être plus performante que son aînée, elle est surmontée d'un quatrième étage – en réalité, un rajout au troisième, à poudre, destiné à offrir à l'engin assez de puissance pour placer des satellites de télécommunications de 150 kilos en orbite géostationnaire. Car tout le monde, notamment les responsables du CNES, pressent que le lancement de simples satellites scientifiques ne suffira pas à assurer l'avenir commercial de la fusée. Le véritable marché est ailleurs, du côté des satellites de télécommunications et du « direct » à la télévision – et cela alors que les Jeux olympiques de Munich se profilent à l'horizon 1972.

Toujours est-il que, ce 5 novembre 1971, *Europa 2* emporte dans le ciel guyanais tous les espoirs de l'Europe spatiale. Mais, au bout d'une minute et quarante-cinq secondes, le lanceur qui fonctionnait nominalement, comme on dit dans le jargon technique, s'incline brusquement. Sous la pression aérodynamique, l'engin se brise puis se transforme en boule de feu avant que quelques débris calcinés ne finissent par s'abîmer dans l'océan Atlantique, à près de 500 kilomètres de leur point de départ. C'en est fini du programme *Europa*. Malgré les 745 millions de dollars dépensés, l'aventure spatiale européenne s'achève par un nouvel échec, au point que certains pays partenaires ne veulent plus en entendre parler.

Dans ces conditions, inutile de décrire l'état d'esprit des ministres européens à Bruxelles, en ce mois de juillet 1973. Essayons tout de même : meurtris par les échecs successifs, furieux d'avoir vu partir en fumée les investissements consentis, les représentants des États concernés sont surtout vexés. C'est que la presse internationale ne manque jamais l'occasion de se moquer des déboires de l'Europe. Des railleries d'autant plus difficiles à digérer que l'Amérique, tout auréolée du succès d'*Apollo*, commence à nous allécher avec son projet révolutionnaire de navette spatiale.

Malgré le contexte peu propice, la France soumet lors de cette Conférence le projet L3S, pour « Lanceur de troisième génération de substitution ». En réalité, il s'agit du projet *Europa 3*, rebaptisé au dernier moment pour faire oublier ses malheureuses origines. Une tentative de camouflage qui ne suffit pas à faire taire nos doutes. Pourtant, à notre grande surprise, un accord est trouvé. Le mérite en revient au ministre belge de la Politique scientifique, Charles Hanin. Négociateur hors pair, il parvient à concilier l'inconciliable. À mettre dans le même panier les Français et les Belges, qui voulaient leur fusée, les Allemands, qui lorgnaient du côté de l'Amérique et du programme de laboratoire spatial *Spacelab*, les Anglais, qui acceptaient de participer à condition que l'on paye leur réseau de satellites de télécommunication maritime *Marots*, et même l'Italie, qui souhaitait faire partie du programme mais n'avait pas la moindre lire à avancer. Pour la petite histoire, « ce miracle européen », comme on l'a appelé à l'époque, tient en un mot : le confessionnal. Eh oui ! Convaincu que les grandes déclarations autour de la table de négociations ne pouvaient aboutir, chacun attendant que le voisin fasse une concession avant de proposer la sienne, Charles Hanin eut l'idée de recevoir chaque ministre durant quinze minutes en tête-à-tête, comme au confessionnal[4]. C'est ainsi que le tour de table fut bouclé : la France avait son L3S, l'Allemagne son *Spacelab*, les Anglais leur *Marots*, les Belges, les Suédois et les Italiens quelques miettes. Enfin, cerise sur le gâteau, le projet prévoyait aussi la création d'une véritable agence spatiale européenne, l'ESA. Certes, son premier budget – 1 milliard de francs (un peu plus de

4. *De la fusée Véronique au lanceur Ariane. Une histoire d'hommes*, *op. cit.*

15 millions d'euros actuels) – ne représentait qu'un quinzième de celui de la NASA, mais l'Europe allait enfin jouer dans la cour des grands et disposer de son propre lanceur : *Ariane*.

Pourquoi Ariane ? Bien des explications ont été avancées. Celle qui a le plus couru voulait qu'on ait donné ce prénom féminin en l'honneur de la fille d'un des concepteurs de la fusée. En fait, la réalité est plus simple et témoigne du rôle primordial de la France dans l'aventure spatiale européenne. Alors que dix États[5] portent l'ESA sur les fonts baptismaux, Paris joue des coudes pour garder la main sur le programme par le biais de son agence spatiale, le CNES. Dans le même temps, elle impose qu'un architecte industriel – rien qu'un seul –, l'Aérospatiale, chapeaute le projet et choisit le nom du futur lanceur. Georges Pompidou, alors président de la République, trouvait, à juste titre, que l'appellation L3S n'était pas très commerciale. C'est le moins qu'on puisse dire… Il demande donc à Jean Charbonnel de se pencher sur la question. Fervent défenseur de ce programme de la dernière chance, le ministre de l'Industrie propose le nom d'Ariane en souvenir du fil qui, dans la mythologie grecque, permit à Thésée de sortir du labyrinthe après avoir terrassé le Minotaure[6]. Quand on connaît l'imbroglio des débuts de l'Europe spatiale, l'analogie convenait à merveille.

Ariane fut une aventure collective, celle d'hommes mus par une même volonté de réussir. Il convient de rendre ici hommage à ces pionniers qui ont permis de lancer le programme. Armés d'une foi à toute épreuve, ils ont su surmonter les échecs et

5. L'Allemagne, la Belgique, le Danemark, l'Espagne, la France, la Grande-Bretagne, l'Italie, les Pays-Bas, la Suède et la Suisse.

6. *De la fusée Véronique au lanceur Ariane. Une histoire d'hommes*, *op. cit.*

convaincre les politiques. Sans Pierre Souffet, Jean-Pierre Causse, le général Aubinière, Alexandre Merdrignac, Yves Sillard, Michel Bignier, Frédéric d'Allest, André Lebeau, le fleuron de l'industrie spatiale européenne n'aurait jamais vu le jour.

Mais pour moi comme pour la plupart de mes confrères, en cette année 1973, *Ariane* était un projet gaullien, un bras d'honneur fait à l'orgueilleuse Amérique, un engin de dissuasion sans véritable avenir commercial. Il faut dire que le CNES ne distillait l'information qu'à doses homéopathiques. On sentait encore l'emprise des militaires, qui étaient à l'origine du programme spatial français. Qui plus est, la hantise de l'échec incitait plus à la discrétion qu'au triomphalisme. Et à cela s'ajoutait l'incertitude politique. Arrivé à l'Élysée en avril 1974 suite au décès de Georges Pompidou, Valéry Giscard d'Estaing juge de fait le projet démesuré et beaucoup trop cher. Pendant quatre mois, le programme est même suspendu. Michel d'Ornano, ministre de l'Industrie, supprime tous les crédits et interdit au CNES de passer des contrats avec ses prestataires industriels[7]. Avant, heureusement, de changer d'avis. Bref, personne ne croit en *Ariane*, et surtout pas les médias. Il faut bien le reconnaître : à ses débuts, le projet de lanceur ne passionne pas les rédactions. Quand il ne fait pas purement et simplement l'objet de moqueries. Alors que les États-Unis ont décroché la Lune avec leur gigantesque fusée *Saturn V*, dont les moteurs, les fameux F1, développent la bagatelle de 700 tonnes de poussée, alors que l'Union soviétique, avec *Soyouz* et *Proton*, caracole

---

7. *Ibid.*

autour de la Terre et se paye le luxe de lancer un engin tous les trois jours, les Européens – disons, pour être précis, la direction des lanceurs du CNES, avec *Ariane* – ne proposent qu'un engin très sage, un « nain » aux performances ridicules comparées à celles des deux géants du spatial. Il y a de quoi sourire.

En réalité, l'objectif de l'Europe n'est pas de rivaliser avec les deux superpuissances. Non, avant tout, il faut faire en sorte que cela marche. D'où des choix techniques issus de l'expérience acquise lors de la mise au point d'*Europa 1* et – ne l'oublions pas – du programme de fusée française *Diamant*[8]. En un mot il convient de ne pas prendre de risques. L'entière conception de l'engin répond à ce principe. Le premier et le deuxième étages ne fonctionnent pas avec de l'hydrogène et de l'oxygène liquides, comme c'était la mode à l'époque. Par mesure de prudence, ils sont dotés de Vulcain, des moteurs de 60 tonnes de poussée. Une technologie éprouvée depuis longtemps, qui dérive directement de celle des *V2*, les missiles lancés par l'Allemagne nazie à partir de 1944. Concession à la modernité, le troisième fait appel à la cryotechnique (fonctionnement à l'hydrogène et à l'oxygène liquides). Mais ce HM7 reste d'une taille modeste et fait encore l'objet de développements depuis plusieurs années.

Ces choix techniques, doublés d'une grande rigueur dans la gestion du programme par le CNES, ont conduit au succès que l'on connaît. Mais, à la lumière de ce feuilleton aux multiples rebondissements, je comprends mieux l'attitude de Frédéric d'Allest, alors directeur des lanceurs au CNES, qui mit du

8. Celle-là même qui, le 26 novembre 1965, avait lancé *Astérix*, le premier satellite français.

temps à reconnaître que j'étais l'un des rares journalistes à croire en l'avenir d'*Ariane*. Il fut même un temps convaincu du contraire : à la suite de mon premier reportage, je fus interdit de séjour à Kourou, en Guyane, durant plusieurs années. L'histoire mérite d'être racontée.

Juin 1979. Cela fait quasiment six ans que le programme *Ariane* a été lancé officiellement à Bruxelles. Le CNES organise un voyage en Guyane pour la presse internationale, de façon à faire le point sur le projet, et surtout permettre aux journalistes de toucher du doigt – disons découvrir *de visu* – *Ariane 1*.

En réalité, nous avions sous les yeux ce que l'on appelle une maquette ergols. Entendez par là le lanceur complet, avec ses trois étages assemblés et sa coiffe satellite. En somme, une fusée grandeur nature, dotée de tous ses éléments vitaux – superstructure, réservoirs, connexions électriques, calculateurs de bord –, mais pourvue de moteurs fictifs. L'engin n'était donc pas destiné à voler mais seulement à tester, grandeur nature, toutes les opérations effectuées auparavant sur simulateur.

Au premier chef, il s'agissait de vérifier la compatibilité entre l'engin et son pas de tir, qui avait été conçu pour *Europa 2* et n'avait servi qu'une fois. En un mot, on effectuait toutes les opérations d'une campagne de lancement : acheminement des différents éléments depuis la France jusqu'à la Guyane ; débarquement du cargo à Cayenne ; transport jusqu'à Kourou *via* 70 kilomètres d'une petite route sinueuse, pas conçue pour de tels convois ; franchissement de la rivière Kourou sur un bac ; assemblage des éléments du lanceur à la verticale et établissement de tous les cordons ombilicaux qui relient normalement un lanceur à son pas de tir, soit la connexion pour le remplissage des réservoirs, les connexions électriques, les systèmes de ventilation, etc. Une véritable répétition grandeur nature, mais sans l'allumage des moteurs. Le CNES offrait là un gage de rigueur et de respect des règles de qualité, ce qui – précisément – avait tant manqué dans le programme *Europa*.

Du haut de ses 40 mètres, *Ariane 1* dominait sa table de lancement. Impressionnante. Ce n'était plus un plan ni un dessin, mais une réalité. Avant d'entamer une visite des installations, et notamment celle du nouveau PC de tir, enterré sous une butte de terre, il convenait d'assister aux inévitables discours. Pendant que Frédéric d'Allest décrivait le lanceur, mon preneur de son fut pris d'une soudaine envie de se dégourdir les jambes. Quittant le groupe de journalistes et d'officiels, le voilà parti en direction de la fusée, le magnéto sur le ventre, la perche de prise de son à la main. C'est à ce moment que les choses se gâtèrent…

« Eh Chevalet, viens voir ! hurle-t-il. C'est du toc leur fusée ! Elle est en bois ! » Frédéric d'Allest, qui avait tout entendu, continua imperturbablement son exposé, forçant la voix pour couvrir celle du preneur de son, qu'avec de grands gestes j'enjoignais de revenir parmi nous. En bois, oui, pour la plaque qui fermait la baie de propulsion, ne laissant dépasser que les quatre tuyères des moteurs. Mais, après tout, cela n'avait aucune importance, puisque l'engin n'était pas fonctionnel et qu'il ne s'agissait que d'une maquette grandeur nature. Imaginez ma gêne, mon embarras : nous étions venus nous rendre compte de l'état d'avancement du programme *Ariane* et voilà qu'un des membres de mon équipe traitait le lanceur d'engin de pacotille. J'étais « grillé ». Je n'osais plus tendre le micro à Frédéric d'Allest ou à Guy Laslandes, du CNES, ni même au directeur général de l'ESA.

Les choses n'en sont pas restées là. Dans mon désir de rattraper la gaffe – car c'est bien de cela dont il s'agit – et de faire comprendre au téléspectateur qu'*Ariane*, c'était enfin du sérieux, je décidai de conclure mon reportage par une séquence tournée chez un ferrailleur. Eh oui, de la défunte fusée *Europa*, il ne restait que le premier étage du lanceur : le *Blue Streak* flambant neuf, livré en Guyane après l'abandon du programme. Pour faire de la place à *Ariane*, les ingénieurs et techniciens de Kourou avaient démonté les anciennes installations et s'en étaient débarrassés. C'est ainsi qu'un premier étage de fusée *Europa* ainsi que toutes les consoles du PC de tir s'étaient retrouvés chez un ferrailleur, situé sur la route près de la centrale thermique. Une belle image pour symboliser la fin du programme *Europa* et l'avènement d'*Ariane*... Nous demandons donc l'autorisation de filmer ces reliques au ferrailleur, qui accepte après une longue séance de marchandage. Et c'est à ce moment-là que les gendarmes débarquent, à bord de la voiture de service de l'époque : une 4L.

À n'en pas douter, l'équipe de TF1 était pistée ! Nos faits et gestes suivis. « Qu'allaient-ils encore faire chez ce ferrailleur, à vouloir filmer les vestiges d'une Europe spatiale moribonde ? » devaient s'inquiéter les responsables d'*Ariane*. Force restant à la loi, TF1 bat en retraite. Mais depuis la route, donc sur le domaine public et avec une vue imprenable sur la carcasse d'*Europa*, j'enregistrais mon papier, qui disait à peu près ceci : « Voilà ce qu'on ne veut plus voir ici en Guyane. On ne veut pas que la nouvelle *Ariane* finisse comme la fusée *Europa*, chez le ferrailleur. Et pour cela, l'Europe s'est dotée d'un responsable, le CNES et d'un chef d'orchestre industriel : l'Aérospatiale ! C'est ce qui avait manqué à *Europa* pour qu'elle réussisse ! »

Rétrospectivement, je pense avoir dit la vérité. Et si c'était à refaire, je le referais quasiment de la même façon. Mais le CNES, et surtout Frédéric d'Allest, ne l'ont pas compris ainsi. Ils n'ont retenu que l'image du *Blue Streak* chez le ferrailleur. Sans doute échaudés par notre précédente gaffe, ils ont cru que je montrais ce qu'il allait advenir de la future *Ariane*. L'inverse de ce que j'avais voulu dire. Résultat : durant quelques années et contrairement à mes confrères d'autres médias, je fus interdit de séjour – ou plutôt, pas invité – à assister aux lancements. Fort heureusement, la raison l'emporta.

Avec la création d'Arianespace, en 1980, la société chargée de la commercialisation d'*Ariane,* les choses rentrèrent progressivement dans l'ordre, notamment grâce à Charles Bigot et Claude Sanchez. Aux yeux des téléspectateurs, je deviendrai bientôt « Monsieur Ariane ». Ouf !

UNE FUSÉE SOUS LE SAPIN

« Tout ce qui était humainement possible avait été fait », rapporte Jean Gruau. À l'époque inspecteur général du CNES, c'est lui qui a donné le feu vert aux opérations de lancement d'*Ariane*, une fois achevée la revue d'aptitude au lancement – la fameuse RAL. Tout a été vérifié, revérifié, qualifié. On est même allés jusqu'à consulter un mage et déposer un cierge à l'église de Kourou.

Initialement prévu pour juin 1979, le premier lancement tant attendu d'*Ariane*, nommé L01, avait été retardé en raison d'un manque d'équipement au sol. Rendez-vous avait été pris pour la fin de l'année. En ce mois de décembre, le 15 exactement, la tension est à son comble. À Kourou, dans une salle du PC de tir baptisée MARS, les opérationnels n'ont pour source d'information que des écrans informatiques. Pas d'images ! À Évry, où le CNES a eu la bonne idée de rassembler ses invités, la presse, entassée dans un coin de l'Agora, n'est guère mieux lotie. Elle ne peut s'appuyer que sur les communiqués officiels et sur l'image du lanceur sur son pas de tir, retransmise par un seul et unique moniteur.

Ce jour-là, tout le monde a conscience que l'avenir d'*Ariane* se joue et, peut-être plus encore, celui de l'Europe dans l'espace[9]. On comprend la tension, l'inquiétude et l'espoir de ces hommes qui attendent fébrilement l'envol de leur enfant. Le mot n'est pas trop fort : pour en arriver à cet instant crucial, il leur a fallu une âme bien chevillée au corps afin de franchir les innombrables obstacles politiques et techniques, encaisser les échecs et en tirer les enseignements nécessaires.

Après un compte à rebours sans le moindre incident, le directeur des opérations (DDO), autrement dit le chef d'orchestre, Alexandre Merdrignac, égrène les dernières secondes : « 5, 4, 3, 2, 1... feu ! » Une lueur orangée entoure la base du premier étage. C'est le signe que les moteurs se sont bien allumés. Alors que je fais vivre en direct l'événement depuis Évry, mon voisin, Albert Ducrocq, avec sa voix haut perchée et son enthousiasme habituel, hurle dans son micro d'Europe n° 1 : « Ça y est ! ça y est ! Les moteurs sont allumés. La poussée va être maximale et *Ariane* va... va... » Quelques secondes de silence. Sa voix s'étrangle. Et il lance sur les ondes – et dans mon micro, tellement il parle fort : « Elle n'est pas partie ! »

À la stupéfaction générale, les calculateurs ont stoppé les moteurs quelques secondes après leur allumage. Du jamais-vu ! « Procédure de tir avorté », annonce le directeur des opérations (DDO). Qui ajoute, à l'attention de tous les personnels devant leur pupitre, prêts à saluer le premier décollage d'*Ariane* : « Reprenez vos postes. Retour en configuration. » Pour ces hommes qui ont donné six à sept années de leur vie à ce projet, la déception est énorme. Ne pas se laisser abattre !

---

9. *Les Fils d'Ariane*, *op. cit.*

Continuer et repasser par toutes les étapes : vidange des réservoirs, inspection du lanceur qui avait vu le feu, changement des vannes, etc. Deux jours plus tard, le verdict tombe : un capteur de pression, situé sur la chambre de combustion de l'un des quatre moteurs, a enregistré un pic de pression anormal, ce qui a déclenché l'arrêt de la séquence synchronisée et donc coupé l'alimentation des moteurs.

Le 22 décembre, nouvelle tentative. Et nouvel échec. Cette fois-ci, les plaques à clapets, qui servent à l'alimentation en hydrogène et en oxygène liquides du troisième étage de la fusée, sont victimes d'un phénomène de givrage. Après tout, on est en Guyane, où le taux d'humidité avoisine les 80 ou 90 %. Et il a beau faire chaud, les deux ergols sont encore très froids. Retour à la case départ avec, bien entendu, une nouvelle vidange des réservoirs.

Le temps presse. Le tir doit absolument avoir lieu avant Noël. Les équipes techniques doivent repartir en métropole retrouver leurs familles, leurs billets d'avion ont déjà été réservés. En outre, les reports successifs ont épuisé les réserves de carburant, notamment celles d'hydrogène liquide, importé depuis la France par bateau. Il faut aussi compter avec les risques de corrosion des vannes et des turbopompes. Si cela arrivait, il faudrait les remplacer très rapidement, et pour cela démonter le lanceur et le renvoyer en France, aux Mureaux… Du côté de l'équipe technique, on peut aisément imaginer l'anxiété de ces hommes qui risquent de voir l'avènement de leur grand œuvre repoussé à nouveau de plusieurs semaines voire plusieurs mois. Côté médias, en revanche, il faut bien avouer que la fièvre est retombée. À la rédaction, on se préoccupe plus des sujets de Noël que des manœuvres d'*Ariane*.

« Fini les grands directs ! Tu prends l'antenne quand tu es sûr qu'elle va partir… », m'ordonne-t-on.

24 décembre, fin d'après-midi. La valse des hésitations et des reports à cause des alertes dues à des systèmes trop sensibles continue. Le temps passe, le réveillon approche. Frédéric d'Allest est catastrophé. Alors, on tente le tout pour le tout. On débranche les systèmes de sécurité pour revenir aux procédures manuelles : « 5, 4, 3, 2, 1. » Alexandre Merdrignac appuie sur le bouton. Allumage des moteurs, poussée maximale au bout de huit secondes qui paraissent interminables. Dans le centre de lancement (CDL), tout le monde est debout, les yeux rivés sur l'écran des caméras vidéo. Le temps semble suspendu. Les bras cryogéniques se sont bien écartés. Trois secondes plus tard, lentement, comme à regret, *Ariane* s'élève et dépasse sa tour ombilicale. Les bras levés vers le ciel, les responsables du CDL lancent un : « Hourra ! » Combustion parfaite du premier étage. Séparation… premier étage… deuxième étage. Allumage du deuxième étage (rien à craindre : il est équipé du même moteur que le premier). Puis arrive le moment le plus délicat : l'allumage du troisième étage, avec son moteur cryotechnique à hydrogène et oxygène liquides. « On s'attendait à une explosion », me dira plus tard Hubert Curien, le président du CNES et futur ministre de la Recherche et de la Technologie. Mais tout fonctionne parfaitement. Le petit satellite – en réalité une capsule technologique destinée à servir de lest – est placé sur orbite avec une très grande précision : *Ariane* est née quelques heures avant le minuit de l'enfant Jésus[10] ! À Kourou, pour « fêter l'avènement », on a ouvert le réservoir dans lequel était stocké l'oxygène liquide

10. *Ibid.*

à – 183 °C. Bilan des courses : l'humidité de l'air s'est transformée en neige. Il n'en fallait pas plus pour voir les équipes se livrer à une bataille de boules de neige, qui est restée gravée dans la mémoire des anciens.

L02, le deuxième des quatre vols d'essais programmés par l'ESA dans le cadre du programme de qualification, décolla le 23 mai 1980. Une minute et quarante-huit secondes plus tard, l'engin explosait et les deux satellites tombaient dans l'océan Atlantique. On sut très vite qu'un problème d'instabilité dans une chambre de combustion avait engendré des vibrations (on parle de HF, haute fréquence), entraînant la destruction de l'un des moteurs, puis l'explosion de l'étage tout entier. J'avoue que, pour le néophyte que j'étais, c'était du chinois...

Les responsables du CNES restant muets devant un tel désastre, Jacques Villain, Marcel Pouliquen et Jean-Paul Rouault de la Société européenne de propulsion (SEP) – le fabricant du moteur en question – prirent le relais. Qu'ils en soient ici remerciés. C'est ainsi que je reçus un appel de Jacques Villain : « Paye-nous un coup à boire et un petit casse-croûte et cela t'évitera de dire des conneries, ce soir, au journal de 20 heures ! » Le message était clair. « Nous allons t'expliquer ce qui s'est passé et comment nous allons remédier à la HF. » Et voilà nos trois spécialistes attablés chez *Lafont*. Sur la table, la pièce incriminée : un injecteur, sorte de calotte sphérique percée d'une myriade de petits trous. Un manque de précision dans le forage de ces trous était à l'origine de la haute fréquence qui mena à la destruction du moteur.

Un outillage plus performant, des trous légèrement plus gros et des essais systématiques des moteurs durant quarante secondes ont permis par la suite de vaincre cette difficulté, rencontrée avant nous par les Allemands sur le *V2*, puis par les Américains et par les Soviétiques, qui avaient tous jalousement gardé le secret – secret que me révélèrent ces ingénieurs de la SEP afin que je ne dise pas n'importe quoi. Cette marque de confiance des spécialistes, des ingénieurs et des scientifiques s'est renouvelée à maintes reprises dans ma carrière. Elle m'a toujours émue. C'était, à mon sens, une forme d'estime pour mon travail.

Mais revenons à *Ariane*. Après l'échec du L02, les vols L03 et L04 furent des succès et, le 20 décembre 1981, la fusée fut déclarée « bonne pour le service ». Entre-temps, un événement capital avait eu lieu qui, hélas ! n'avait pas fait la Une des médias en Europe : la création d'Arianespace. Un bien joli nom, facile à retenir et à la portée internationale. Le mérite en revient au génial Frédéric d'Allest. Dès le début du programme *Ariane*, il savait que l'avenir du lanceur passerait par sa commercialisation. Et que ni l'ESA, ni le CNES, organismes scientifiques et techniques, n'étaient les structures adéquates pour y parvenir. À l'instar des compagnies aériennes, il fallait créer une compagnie spatiale. La logique aurait d'ailleurs voulu que, lors du développement de la navette spatiale, la NASA crée une société commerciale pour exploiter son engin[11]. On imagine l'événement, avec le grand barnum à l'américaine : les logos, les sigles et, bien sûr, les couvertures du *Times* et d'*Aviation Week*... Mais non. Les Américains ont loupé le coche et, cette fois-là, le coup est venu de l'Europe.

Alors qu'il n'avait pas encore lancé sa première *Ariane*, mais qu'il pensait déjà aux versions plus puissantes à venir pour

---

11. *Ibid.*

faire face à l'augmentation du poids des satellites de télécommunications, l'Ancien Continent, d'habitude si frileux, avait endossé le costume de David face au Goliath américain, et le 26 mai 1980, trente-six entreprises européennes, associées à treize banques et au CNES, signaient l'acte de naissance de la première compagnie de transport spatial.

Pour nous, journalistes spécialisés, cela ne changeait pas grand-chose en apparence. En réalité, si. L'ouverture de l'espace au domaine privé modifia radicalement la stratégie de communication. Sous l'impulsion de son premier directeur général, Charles Bigot, et de son chargé de communication, Claude Sanchez, les portes de la Guyane s'ouvrirent enfin. Une vidéo transmission était mise à la disposition des médias, comme le faisait la NASA depuis longtemps déjà.

Du coup, mes efforts de vulgarisation de l'espace auprès du grand public furent récompensés. À la suite d'un reportage que j'effectuais en Guyane pour un lancement d'*Ariane*, je fus invité à la réception organisée par Arianespace autour de la piscine de l'*Hôtel des Roches*, qui accueille les visiteurs du site, face aux îles du Salut.

Buffet, musique, piscine... À tour de rôle, les invités se retrouvaient poussés dans l'eau tout habillés... C'est au cours de ce bain forcé, dans une eau, il est vrai, à 30 °C, que Frédéric d'Allest (toujours lui) lança à la ronde : « Il est maintenant des nôtres ! » Cette fois, j'étais vraiment devenu le « Monsieur Ariane ». Et j'en suis fier.

UN ASTRONAUTE DANS LE RER

« Où est passé ton Amerloque ? » Dans le studio de Cognacq-Jay résonne la voix de Bernard Lion, le réalisateur de l'émission. Mais c'est vrai, où est donc passé Fred Haise ? À vrai dire, je n'ai plus le temps de m'appesantir sur la question. Ce 12 avril 1981, de l'autre côté de l'Atlantique, en Floride, sur le Pad 39A de cap Canaveral (qui a retrouvé son nom en 1973), il est 7 heures du matin – soit six de moins qu'ici, à Paris – et le compte à rebours a commencé... Je dois prendre l'antenne sans mon « Amerloque ».

Pour la première fois dans l'histoire de l'aéronautique, une navette spatiale vient de décoller pour une mission qui durera un peu plus de deux jours. *Columbia* a beau ressembler à un avion un peu empâté dont on aurait rogné les ailes, c'est un événement. Une véritable révolution technologique. Pourtant, durant les huit minutes et douze secondes que dure la mise en orbite, cette première partie de la mission que je commente avec Jean-Pierre Chapel en Floride, je ne peux m'empêcher d'être inquiet. Mais où est donc passé mon astronaute américain ?

Dans les bureaux, on s'interroge aussi. Les assistants ne cessent d'appeler l'ambassade, le consulat... Toujours pas de nouvelles de Fred. Il a bien quitté son hôtel, mais on perd ensuite sa trace. Dommage, car notre organisation était parfaitement au point.

Quelques mois auparavant, avec Jean-Marie Cavada, directeur de l'information de l'époque, nous avions organisé des réunions de travail de façon à offrir la meilleure couverture de ce moment historique. Il avait bien pris la mesure de l'événement et avait exigé la présence d'un astronaute sur le plateau. La mise en scène était la suivante : je me trouve en plateau à Paris avec une maquette de la navette spatiale. Un monstre de 150 kilos, pour 1 mètre de large et 1,80 mètre de haut, construit par Louis Dumont à partir des plans fournis par Jacques Tiziou. Jacques est un personnage capital dans ma compréhension de l'espace. Ingénieur de formation et vrai passionné, ce Français avait décidé de suivre l'aventure de la conquête spatiale depuis son domicile à Washington. Il ne vivait que pour ça ! Le rez-de-chaussée de sa « maisonnette » avec garage avait été transformé en musée. Il faisait la joie – et parfois la risée – de ses amis. Partout, des photos de lui en compagnie d'astronautes. Il était devenu leur ami. Le *Frenchy* avait finalement été adopté par les officiels de la NASA. Il avait gagné leur confiance. De ses missions, Jacques rapportait toujours des trophées – ou plutôt des souvenirs : des petits morceaux de fusée, des tuiles de la navette, la ration alimentaire des astronautes... Tout y passait, jusqu'aux échantillons de papier toilette !

Pour en revenir à notre épisode, Jacques Tiziou, lui, se trouve au Centre de contrôle, à Houston, au Texas. C'est là, à peine vingt secondes après le lancement depuis cap Canaveral, en Floride, que sont pris en charge le suivi de la mission et les communications avec l'équipage. De son côté, Jean-Pierre Chapel, le « Monsieur Espace de la Une », se trouve à cap Canaveral pour nous faire vivre le lancement en direct. Sitôt le commentaire du décollage terminé, il doit sauter dans un avion pour la base d'Edwards, dans le désert de Mojave, en Californie, d'où il décrira le retour sur Terre de la navette.

Fred Haise commentait l'événement avec nous. Astronaute désormais « retraité », il avait failli aller sur la Lune, puis avait participé aux essais de la navette, testant notamment le retour sur Terre en vol plané. Fred Haise, le client idéal. Même s'il n'était pas très connu du grand public, Fred était loin d'être un bleu. En 1969, il avait été la doublure de « Buzz » Aldrin, le pilote du module lunaire d'*Apollo 11*. Autrement dit, il avait suivi le même entraînement que l'équipage qui s'était posé sur la Lune pour la première fois le 21 juillet 1969. Mais Fred est surtout resté dans l'histoire de l'espace comme l'un des trois astronautes d'*Apollo 13*, avec Jim Lovell et Jack Swigert. On se souvient de ce qui est advenu. Le 15 avril 1970, deux jours après le lancement, au cours du vol entre la Terre et la Lune, un réservoir d'oxygène du module de service accolé à la cabine explose. L'ensemble cabine-module lunaire devient un vaisseau à la dérive, simplement guidé par les lois de Newton. Fin de la mission spatiale, début de la mission survie. Contraints de se réfugier dans le module lunaire et de contourner la Lune pour revenir sur Terre en catastrophe, les trois hommes en sont quittes pour une belle frayeur. D'ailleurs, on aurait pu croire qu'avec la fin – heureuse – de cette mésaventure, Fred Haise avait épuisé son quota de malchance. Eh bien non !

Nommé commandant de réserve d'*Apollo 16*, il restera au sol, regardant le titulaire du poste, John Watts Young, s'envoler. Enfin, peu de temps après, il est pressenti pour être le commandant de la mission *Apollo 19*, finalement annulée. Résultat, Frédo présente la particularité d'avoir failli marcher sur la Lune à quatre reprises... Et seulement failli.

Néanmoins, compte tenu de son expérience, la NASA l'avait nommé, en avril 1973, directeur adjoint du programme « navette spatiale », en charge des vols de l'orbiteur largué depuis un Boeing 747. Voilà pourquoi la présence de cet astronaute était capitale sur le plateau de TF1. Un peu rondouillard, masquant sa discrétion derrière des lunettes rondes, il connaissait parfaitement la technique du vol plané après la rentrée dans l'atmosphère. C'est justement la séquence la plus délicate de la mission : poser sur un ruban d'asphalte, sans l'aide de moteur, un avion spatial de 70 tonnes possédant les caractéristiques aérodynamiques... d'un fer à repasser ! Depuis ses débuts, la conquête de l'espace n'avait connu qu'un seul véhicule : la fusée. On travaillait à emballage perdu. Dès qu'un étage avait consommé son combustible, il devenait un poids mort. On le larguait et il brûlait en retombant dans les couches denses de l'atmosphère terrestre. Ainsi, la fusée « s'épluchait » petit à petit, pour arriver à la mise sur orbite du troisième étage avec sa seule charge utile.

Avec la navette naissait un tout autre concept. Le but était double : il s'agissait de fabriquer un engin qui, *primo*, soit réutilisable – autrement dit capable d'effectuer des allers et retours entre la Terre et l'espace, en assurant sur place une mission – et, *secundo*, qui puisse évoluer seul une fois en orbite, changer de trajectoire et, surtout, choisir sa piste d'atterrissage au moment de revenir sur Terre. Imposée par les militaires qui subventionnaient le programme, cette donnée devait lui permettre de se déporter d'environ 1 500 kilomètres. Et donc d'atterrir soit au Kennedy Space Center, à cap Canaveral, en Floride, soit sur la base de l'US Air Force de Vandenberg, en Californie. Voire, occasionnellement, sur les pistes d'Edwards (Californie) ou de White Sands (Nouveau-Mexique).

Pourquoi les militaires ont-ils ainsi mis le nez dans les affaires d'une agence, certes gouvernementale, mais avant tout civile ? Pour le comprendre, il faut reprendre les choses par le commencement. Au début des années 1970, alors qu'elle vient juste de décrocher la Lune, la NASA réfléchit à un nouveau concept d'engin spatial réutilisable, capable de décoller comme une fusée et de revenir se poser comme un avion. Les centres de recherches et l'industrie aéronautique américaine sont mis à contribution pour réussir cette prouesse. Rapidement, on s'oriente vers un concept biétage, composé de deux véhicules avec de petites ailes : un lanceur et un orbiteur. Le premier monterait jusqu'à une altitude de 80 kilomètres pour larguer le second posé sur son dos. L'orbiteur allumerait ses propres moteurs pour se satelliser. Seulement, le type de carburant retenu, l'hydrogène liquide, impose d'emporter de gros réservoirs et, donc, de concevoir des engins ventrus d'une taille impressionnante. North American imagine ainsi un lanceur de 85 mètres de long, pesant 1 650 tonnes et emportant un orbiteur de... 60 mètres pour 400 tonnes ! Bref, un mastodonte presque aussi grand qu'un terrain de football et aussi lourd que quatre Boeing *747* qui, en plus, porterait sur son dos un autre avion de ce type. Monumental et d'autant plus démesuré que l'heure n'est plus aux dépenses faramineuses.

En mai 1971, le Congrès, échaudé par l'ardoise du programme *Apollo*, annonce que le budget de la NASA ne sera pas augmenté. Les trois dernières missions *Apollo* sont annulées ainsi que le projet de seconde station spatiale, *Skylab*. Quant à la grande station style *2001, l'Odyssée de l'espace*, elle est renvoyée aux calendes grecques[12].

Par conséquent, la NASA doit revoir sa copie et diviser par deux la note du développement de son nouvel engin spatial. Mais l'armée américaine, qui voit d'un mauvais œil les Soviétiques occuper en permanence la haute atmosphère, ne veut pas lâcher la proie pour l'ombre. Il lui faut un engin qui assure aux États-Unis une présence quasi continue dans l'espace. Un engin capable de changer d'orbite, autrement dit pilotable. Un engin susceptible, également, de se rapprocher d'un satellite ennemi, soit pour le neutraliser, soit pour le capturer et le ramener sur Terre. La guerre des étoiles n'est pas loin !

Le véhicule doit pouvoir accueillir cinq à sept astronautes plus confortablement que les petites capsules *Apollo*, permettre des sorties dans l'espace et, en même temps, servir de cargo pour le fret. Les militaires imposent même une immense soute de 18 mètres de long et 4 mètres de diamètre afin d'y loger leur gros satellite espion, *Key Hole*, mot à mot : trou de serrure... C'est à ces seules conditions que l'US Air Force finance la moitié du programme *Navette*. Et que l'on aboutit à un compromis bancal, avec un engin moins élégant et moins efficace que l'ensemble de deux avions superposés, mais moitié moins cher. L'orbiteur, l'avion spatial, ne mesure que 37 mètres de

12. *Ibid.*

long et ne pèse que 70 tonnes à vide. Comme il est plus petit, impossible de loger à l'intérieur les réservoirs de carburant. On les place donc à l'extérieur. Et voilà qu'apparaît un énorme bidon de 46 mètres de long et 8 mètres de diamètre sur lequel est posée la navette. Pour soulever le tout, on ajoute deux énormes fusées à poudre, les boosters, capable de développer chacune 1 000 tonnes de poussée ! L'ensemble ainsi imaginé était censé diviser par dix le coût des lancements et remplacer toutes les fusées classiques.

Tel était le pari et le défi technologique entrepris par les Américains le 5 janvier 1972, lorsque le président Richard Nixon approuve le lancement officiel du programme. Un pari dont, ce 12 avril 1981, les téléspectateurs peuvent voir en direct le résultat décoller depuis le pas de tir 39A de cap Canaveral. La navette est partie pour son premier vol d'essai et, pour la première fois, ce vol inaugural est habité. L'événement est à la mesure de l'enjeu politique et économique. Une page de l'histoire de l'astronautique est en train de s'écrire.

À vrai dire, ce ne sont pas dans les premiers instants que les choses vont se jouer. Après tout, même avec des moteurs à hydrogène et oxygène liquides exerçant 200 tonnes de poussée, le décollage et le vol propulsé restent du domaine de l'astronautique classique. Mais le retour dans l'atmosphère, voilà qui est nouveau et très excitant. C'est pourquoi nous avons besoin d'un spécialiste comme Fred Haise à nos côtés.

Jusqu'à présent, en effet, tant du côté soviétique que du côté américain, les rentrées dans l'atmosphère s'effectuaient à la manière d'un boulet de canon. L'énergie de l'engin était dissipée par le frottement d'un bouclier thermique sur les hautes couches de l'atmosphère. Résistant à une température d'environ

1 500 °C, ce bouclier servait à la fois d'isolant thermique et, en brûlant, de dissipateur de calories. Il freinait l'engin tout en évitant sa désintégration. Mais avec la navette, la NASA révolutionnait totalement la technologie spatiale ! Imaginez : alors que l'on se contentait jusqu'à présent de laisser tomber vers la Terre une boule de pétanque – autrement dit, une capsule spatiale de 3 tonnes –, il s'agissait désormais de faire délicatement atterrir une enclume, les 70 tonnes de la navette.

La clé de la réussite résidait dans deux éléments. Le premier était la protection de l'engin contre les échauffements à l'aide d'un revêtement qui ne soit pas ablatif, c'est-à-dire qui ne brûle pas pour dissiper l'énergie, contrairement à ce qui se passait sur les capsules. Sur *Apollo*, ce revêtement se consumait couche après couche en absorbant les calories. Inconcevable pour une navette censée être réutilisable. Et c'est ainsi que la firme Lockheed inventa ce que l'on a appelé les « tuiles ». Constituées de fibre de silice, pure à 99,9 %, elles étaient recouvertes d'une couche protectrice d'alumine, de l'oxyde d'aluminium noir, de façon à rayonner les calories, et collées sur les parois en aluminium du ventre et du bord d'attaque des ailes de la navette. Trente mille tuiles étaient nécessaires pour couvrir 90 % de la surface de l'engin. Chaque tuile avait son numéro et son emplacement, et, de fait, elles devaient être posées à la main, une par une. Un travail minutieux qui retarda la mise au point de la navette spatiale. Après tout, il fallait bien cela. Avec les gros moteurs à hydrogène et oxygène liquides exerçant 200 tonnes de poussée, c'était sur elles que reposait la partie la plus sensible du programme.

Mais comment faire comprendre aux téléspectateurs les performances de ce revêtement dont l'aspect rappelait la légèreté de la meringue ? Pour y parvenir, Fred Haise nous avait été bien utile, tout comme Jacques Tiziou. La veille du vol inaugural de la navette, l'astronaute américain était avec moi sur le plateau du journal de 20 heures. Dans mes mains, l'une de ces fameuses tuiles, que Tiziou avait réussi à se procurer lors de l'un de ses reportages à cap Canaveral. « Alors, c'est un excellent isolant ? » demandai-je à Fred Haise. « Vous pouvez le chauffer, il va rougir et ne brûlera pas, répondit-il. Vous pourrez même le tenir entre vos doigts. »

Sitôt dit, sitôt fait. Devant un PPDA médusé, je chauffais avec un petit camping-gaz l'échantillon de tuile que je tenais entre le pouce et le majeur, sans gant. Je devais croire Fred sur parole. Bien entendu, les pompiers de Cognacq-Jay étaient dans les coulisses, l'extincteur à portée de main !

Sous l'impact de la flamme bleue, le centre de la tuile se mit à rougir. « Pourvu qu'elle résiste. Pourvu que l'isolant remplisse son rôle, me disais-je. Sinon plus de doigts ! » Et le miracle se produisit... Près de 1 200 °C au centre de la tuile, mais seulement 50 °C sur les bords. Je pouvais tenir mon bout de tuile entre les doigts. Mieux qu'un discours, mieux qu'un reportage... En une minute et demie d'expérience sur le plateau, son pouvoir superisolant était démontré. Fred Haise était bluffé. C'était la première fois qu'il voyait cette démonstration *so frenchy* !

Ce même jour, Fred et moi avions évoqué l'autre secret de la navette : sa trajectoire. Avec elle, plus question d'attendre d'être ralenti par la traversée des hautes couches atmosphériques pour finir au bout d'un parachute. Mais alors, comment freiner l'engin, vingt-trois fois plus lourd que la cabine *Apollo* ? Pour dissiper l'énergie cinétique, il fallait effectuer, comme au ski, une succession de grands S dans la haute atmosphère et offrir ainsi son ventre au filet d'air. Bien entendu, la NASA a toujours gardé secrets les éléments de calcul. Et pour cause : les Soviétiques, qui essayaient de copier la navette américaine avec leur programme *Bourane*, auraient sans doute adoré y jeter ne serait-ce qu'un coup d'œil.

Voilà tout ce que Fred Haise aurait pu expliquer à nouveau aux téléspectateurs s'il avait été avec moi sur le plateau, ce 12 avril 1981. Il aurait aussi pu leur confirmer que cette date n'avait pas été choisie par hasard. Souvenons-nous : vingt ans plus tôt, jour pour jour, le commandant de l'Armée de l'air soviétique, Iouri Gagarine, effectuait le premier vol d'un homme autour de la Terre. Ce jour-là, l'Amérique était KO, humiliée. Pourtant, deux décennies plus tard, et onze années seulement après avoir posé un homme sur la Lune, la voilà qui renoue avec les grandes heures de la conquête spatiale. Malheureusement, Fred Haise n'est pas là pour commenter avec moi cet instant historique.

Sur le plateau, j'entends alors le téléphone sonner (les oreillettes n'existaient pas encore). Je décroche et Bernard Lion me dit : « Ça y est ! On l'a retrouvé. Il est à Boissy-Saint-Léger ! Je te passe la direction de la communication de la RATP. » Au bout du fil, un responsable m'annonce : « L'un de nos employés à Boissy-Saint-Léger nous signale qu'il a reconnu votre astronaute. Il est avec sa femme. Il a voulu visiter Paris en prenant le RER... » Évidemment... Quoi de plus révolutionnaire pour un Américain – un astronaute, de surcroît – que de visiter la capitale dans un train roulant sous terre à 100 kilomètres-heure. Fred Haise avait donc pris le RER A à la station Étoile pour descendre à Opéra.

Mais il avait parcouru toute la ligne pour se retrouver au terminus, à Boissy-Saint-Léger…

Heureusement que l'employé de la RATP était – comme beaucoup alors – un téléspectateur assidu du journal télévisé. Il avait reconnu Fred. Sous bonne escorte, notre astronaute put repartir dans l'autre sens pour finalement commenter en ma compagnie – et avec brio – le retour sur Terre de *Columbia* et le début d'une formidable épopée : celle de la navette spatiale.

L'ORGUE DE JEAN-LOUP CHRÉTIEN

Trente ans après ses premiers exploits, Jean-Loup Chrétien reste et restera dans la mémoire des Français comme le symbole des astronautes. Né à La Rochelle, ce Breton d'adoption a tout pour lui : la stature, l'élégance, le regard bleu, le caractère d'un Kersauson et la détermination d'un Tabarly. Ajoutez à cela une grande modestie doublée d'une discrétion qui ne facilite pas toujours les contacts. Et pourtant, quel personnage attachant ! Notre première rencontre date de sa sélection comme astronaute pour la première mission franco-soviétique, en 1980. Un événement qui s'inscrivait alors dans le cadre de la coopération spatiale entre l'URSS et la France, commencée le 30 juin 1966 [13]. Ce jour-là, à Moscou, au cœur de l'une des périodes les plus glaciales de la Guerre froide, le général de Gaulle et Léonid Brejnev engageaient leurs deux pays dans la voie de la coopération scientifique et spatiale. Au programme : des échanges entre savants et ingénieurs. Sacré pari,

13. *Ibid.*

à la fois technique et géopolitique, qui aboutira notamment au lancement d'un satellite français d'étude de l'environnement terrestre par une fusée soviétique *A1*, le 4 avril 1972, sans que cela ne remette en cause la participation française au programme spatial européen. Plutôt tranquille à ses débuts, le rythme de cette collaboration s'accélère le 19 avril 1979. Lors d'une visite officielle à Moscou, le président Valéry Giscard d'Estaing se voit offrir par Léonid Brejnev la possibilité de faire voler un Français à bord de la station orbitale, *Saliout*, l'ancêtre de *Mir*. Un pied de nez aux Américains qui, à deux ans du décollage de leur navette, n'ont encore rien proposé de tel à leurs alliés européens. Et belle opération de communication pour l'URSS : après avoir ouvert les portes de l'espace aux « pays frères », la voilà qui tend la main au monde occidental. En 1982, Jean-Loup Chrétien succède ainsi à neuf cosmonautes issus du bloc de l'Est ou de pays amis [14]. Dans le cadre de cet accord, les Soviétiques fournissaient le *Soyouz*, la fusée, un équipage expérimenté, l'entraînement pour deux cosmonautes à la Cité des étoiles et un séjour d'une semaine à bord de la station *Saliout 7*, gîte et couvert inclus. En contrepartie, la France procédait à des expériences scientifiques originales et leur procurait un matériel très performant, notamment en ce qui concerne l'échographie. C'est d'ailleurs à partir de ces outils – testés en apesanteur – qu'ont été conçus les échographes utilisés aujourd'hui par les cardiologues.

---

14. Le premier fut un Tchécoslovaque, Vladimir Remek, en 1978. Le dernier, avant Jean-Loup Chrétien, un Roumain, Dimitru Pruraniu, en 1981. Entre les deux s'étaient succédé un Polonais, un Allemand de l'Est, un Hongrois, un Vietnamien, un Cubain et enfin un Mongol, Jougderdémidiin Gourragtcha (sans doute le plus long prénom dans l'espace).

Bien entendu, une telle collaboration fit grincer des dents chez les grands de ce monde et dans les chancelleries occidentales. On peut le comprendre : trois ans plus tôt, l'URSS envahissait l'Afghanistan, et quelques mois à peine avant la signature de l'accord, elle laissait le général Jaruzelski poser sa main de fer sur une Pologne en pleine révolte. Pour nous, journalistes, c'était néanmoins une aubaine... Nous allions enfin pouvoir nous rendre en Union soviétique, découvrir la mystérieuse Cité des étoiles et, surtout, mettre le nez à Baïkonour. Comme nous le verrons dans un prochain chapitre, le fameux site de lancement restait à l'époque une *terra incognita* pour les Occidentaux. C'était aussi l'occasion d'approcher quelques-uns des héros du XXe siècle... Jusqu'à présent, seul mon camarade Jacques Tiziou, aux États-Unis, avait la chance de côtoyer intimement certains astronautes. Côté soviétique, c'était rideau de fer et langue de bois !

Avec le recul, j'avoue avoir été à la fois fasciné par ce que je découvrais et déçu par le peu d'informations techniques transmises par le CNES. Un manque d'ouverture qu'accentuait encore la réserve dont faisaient preuve nos deux astronautes, Jean-Loup Chrétien et sa doublure, Patrick Baudry. Rien d'étonnant de la part de Jean-Loup, mais chez un homme aussi exubérant, familier et prompt à la critique que Patrick, ce silence de plomb était moins attendu. Pourtant, malgré nos relances régulières, aucun des deux ne nous a jamais expliqué les techniques du pilotage de *Soyouz*, les précautions à prendre en cas de problème, l'entraînement à la survie en pleine Sibérie par – 25 °C, la marche à suivre en cas d'amerrissage sur les vagues de la mer Noire...

Les secrets du simulateur de vol restaient, eux aussi, largement cachés. Était-il à la hauteur de ceux de la NASA ? De quels moyens informatiques disposaient les Russes ? Nous supposions tous que l'Union soviétique accumulait un sacré retard technologique sur les Américains, mais nous n'avions aucune certitude. Surtout, nous n'imaginions pas à quel point leurs ingénieurs savaient compenser ce handicap en inventant des astuces technologiques à partir de bouts de ficelle. Respect !

Chrétien et Baudry muets comme des carpes, il a fallu attendre Michel Tognini et surtout Jean-François Clervoy, excellent professeur, pour connaître, enfin, le fonctionnement d'un *Soyouz*, les lois de pilotage lors d'un rendez-vous spatial et les détails de la vie à bord des stations *Saliout* puis *Mir*. Une expérience qui tenait plus du camping que du palace... J'appris ainsi que, lors du premier vol de Jean-Loup, un incident avait presque failli faire annuler la mission [15]. Lors de la phase d'approche, à quelques minutes de l'amarrage avec *Saliout 7*, alors que le *Soyouz* était en mode automatique, il se mit soudain à tournoyer... Panne de senseur (un capteur) ! Un classique pour le *Soyouz* qui avait déjà connu de tels problèmes à cinq reprises. Néanmoins, pour les trois hommes sanglés sur leur siège, des gouttes de sueur froide commencèrent à perler sous le scaphandre. C'est là que l'on voit le professionnalisme et les compétences des cosmonautes russes. Le commandant de bord – considéré alors comme l'un des meilleurs – reprit en main le contrôle du vaisseau, le stabilisa, l'aligna avec la station en visuel grâce au périscope et aux repères placés sur

15. *Rêves d'étoiles*, Jean-Loup Chrétien et Catherine Alric, Alphée, 2009.

le module *Saliout* et réussit l'amarrage. Après cet épisode, Jean-Loup n'eut de cesse de louer le talent de Vladimir Djanibekov.

Lors de ce genre d'événement, les relations franco-russes n'étaient pas toujours aussi simples et cordiales. Du 26 juin au 2 juillet 1982, lors de ce premier vol de Jean-Loup Chrétien baptisé PVH – pour *Premier Vol Habité* (notez le manque d'imagination) – par le CNES, la presse était hébergée à l'hôtel *Intourist*. Comme l'amarrage n'intervenait que deux jours après le lancement, il fallait bien passer le temps. Le premier dîner moscovite fut donc consacré à l'opération « Roulement à billes ». Un nom de code que nous devons à mon excellent confrère d'*Air & Cosmos*, Pierre Langereux. En clair, il s'agissait de partir à la chasse aux boîtes de caviar auprès du personnel de salle. Rien de trop ardu : anticipant la possibilité d'arrondir leurs fins de mois grâce à l'arrivée de journalistes occidentaux, les serveurs avaient prévu de sérieuses réserves.

Mais, ce soir-là, l'affaire faillit bien tourner à l'incident diplomatique. À Baïkonour, le KGB avait surveillé la prise de photographies, ainsi que les angles de prises de vues de nos caméras. Bien sûr, avant de quitter la base spatiale, nous avions dû remettre au KGB les films et les bobines, avec l'approbation d'un CNES n'osant pas s'élever contre la censure. Il faut dire que le chargé de communication de l'époque ne brillait pas par sa pugnacité.

Donc, à l'hôtel *Intourist*, Pierre Langereux s'inquiète du sort de nos bobines. Discussion. Le ton monte. Devant le mutisme de nos interlocuteurs russes – les fameux interprètes sélectionnés par le KGB –, Pierre, vodka aidant, décide de mener une opération commando. Nous voilà partis, explorant pièce par pièce le rez-de-chaussée de l'hôtel pour finir par tomber sur une salle où s'affaire une équipe de censeurs. Après avoir développé les films Kodak, les Russes, armés de ciseaux, visionnaient chaque image et coupaient celles qui leur semblaient porter atteinte au secret. Dérisoire !

Coups de gueule, insultes en russe (auquel, de toute façon, nous ne comprenions rien) jusqu'à ce que Pierre, un solide gaillard, leur arrache une bobine mutilée pour revenir la montrer à nos confrères ! Toute une amitié franco-soviétique menaçait d'être ruinée par quelques coups de ciseaux... Heureusement, un certain nombre de verres de vodka scellèrent la réconciliation et l'affaire fut vite oubliée... Tout comme le fut Jean-Loup Chrétien, d'ailleurs. Si le premier Français dans l'espace fit bien la Une de tous les médias à son retour sur Terre, son exploit fut vite éclipsé par d'autres, notamment celui de l'équipe de France de football, qui atteint lors de ce mois de juillet caniculaire la demi-finale de la Coupe du monde. Certains, pourtant, ne perdaient pas notre astronaute de vue. Cet été-là, je le retrouvai à Saint-Maximin, en Provence, jouant de l'orgue.

Après l'aviation et l'espace, c'était son autre grande passion. Très tôt, aime-t-il à raconter, il avait été fasciné par les grands orgues qu'il avait eu l'occasion d'écouter dans les églises ou, mieux encore, dans les cathédrales et les basiliques [16]. En 1970, lors de son séjour à Salon-de-Provence, au centre d'essais en vol, il entreprit de restaurer avec un ami un instrument silencieux depuis 1925... Sa route croise alors celle de Pierre Bardon. Titulaire de l'orgue historique de la basilique de Saint-Maximin, ce musicien d'exception devient son professeur. Au point que jusqu'à sa sélection, en 1980, parmi cinq cents autres

16. *Ibid.*

aspirants astronautes, notre général de brigade dans l'armée de l'air pensait bien finir sa carrière militaire comme organiste…

C'est cette passion – encore inconnue des téléspectateurs – qui m'inspira l'idée de le voir jouer depuis la station spatiale russe, qu'il rejoint à nouveau en 1988. Si cette mission, plus longue que la précédente (près d'un mois, contre huit jours, en 1982), devait être aussi plus riche en expériences, nous autres, journalistes, avions tout de même du mal à nous enthousiasmer. Même entraînement à la Cité des étoiles, même fusée *Soyouz*, même pas de tir… Seule la perspective d'une sortie dans l'espace pour déployer une antenne ERA lui donnait un peu de piment et d'intérêt. Imaginez donc ma joie quand Jean-Loup me répondit : « Banco ! » Nous allions pouvoir insérer une séquence amusante dans la mise en scène très classique des Russes. Et satisfaire notre goût commun pour les défis réputés impossibles.

Car du rêve à la réalité, que d'embûches, que de discussions… Il faut d'abord obtenir le feu vert de l'autorité de tutelle, le CNES. Puis celle des Russes, qui se montrent d'abord très sourcilleux. OK, finissent-ils par dire, mais à condition qu'il emporte l'instrument dans ses affaires personnelles, que les piles soient agréées antifeu, qu'elles ne dégagent pas de gaz toxiques et que l'instrument accepte le courant électrique du bord (28 volts continus), ce qui nécessite de fabriquer un adaptateur. Comme l'un de mes fils suivait des cours de synthétiseur chez Yamaha, je proposai le *deal* au directeur France de l'entreprise, qui comprit tout de suite l'intérêt médiatique de l'opération. Sans son flair, sans la ténacité de ma collaboratrice, Anne-Marie Blanchet, sans la gentillesse des responsables russes, sans les démarches du CNES et l'aide de Lionel Suchet, et sans ma persévérance – reconnaîtra Jean-Loup –, voire mon entêtement, le petit clavier n'aurait pas pris la route de l'espace le 26 novembre 1988 à bord du *Soyouz TM7*. Et je ne me serais pas retrouvé, au cœur du TSOUP, le Centre de contrôle des vols habités soviétiques (autrement dit l'équivalent, en moins luxueux, du Centre de contrôle de Houston, aux États-Unis), à attendre fébrilement de faire la liaison entre PPDA, dans son studio de télévision parisien et Jean-Loup, dans l'espace.

Ce dernier est arrivé sur *Mir* voilà huit jours, en compagnie d'Aleksandr Volkov, le commandant de bord, et de l'ingénieur Sergueï Krikalev. Ils rejoignent là-haut les deux résidents, Vladimir Titov et Musa Manarov, qui occupent la « datcha de l'espace » depuis près d'un an. La station est composée de deux modules, situés dans le prolongement l'un de l'autre. Le premier, le module principal d'habitation et de pilotage *Mir*, est doté, à l'avant, du fameux nœud d'amarrage en étoile. Le second, sur l'arrière, est le module scientifique *Kvant 1*, équipé d'un télescope Glazar pour l'observation de la Terre. Décidément, on ne se refait pas et le vieux démon de l'espionnite est toujours là ! N'oublions pas que l'ancêtre de *Mir* a été *Saliout*, un engin dérivé de la station spatiale militaire *Almaz*. Comme toujours à la télévision, le miracle – si l'on peut appeler cela ainsi – se produit. À la minute dite, ou presque, après quelques décrochements et zébrures d'images, apparaît, littéralement tombée du ciel, l'image du poste de contrôle de la station *Mir*. Comme à la parade, ils sont debout. Jean-Loup flotte au premier plan, le clavier Yamaha sur les cuisses ! Le piano électrique est donc bien arrivé. Mais va-t-il fonctionner ? Va-t-on entendre le son ? Pour Jean-Loup, ce second vol était une révision et ne posait pas de problème d'équilibre. Néanmoins, nous ne pouvions passer outre les immuables questions sur son état de santé. Une fois bouclée cette figure imposée des transmissions terre-espace, sonne enfin l'heure du morceau de bravoure ! C'est PPDA qui lance : « Pouvez-vous nous jouer un petit air ? » Jean-Loup a reconnu plus tard que ce n'était guère facile. « À cause des gants, mes doigts restaient parfois coincés... [17] » Pas question donc d'attaquer une partition de Jean-Sébastien Bach, encore moins de se lancer dans un long concert ! Un petit air bien connu de tous suffira. Commencent alors à résonner les premières notes d'un classique du negro spiritual : *« When the Saints Go Marchin' In... »* Le résultat est là ! C'est la récompense d'une grande complicité entre Jean-Loup et mon équipe de TF1, les équipes du CNES (Lionel Suchet, Alain Labarthe et Denis Thierion) et leurs homologues russes. À telle enseigne qu'à la fin de notre transmission, le directeur des vols russes, Viktor Blagov, me fit une *standing ovation* et m'offrit un magnifique samovar !

Par la suite, Jean-Loup m'a un peu reproché d'avoir faussé, par cette mise en scène, le message sur les expériences scientifiques. Je pense néanmoins que cela a révélé au public une autre facette du personnage, que cela l'a rendu encore plus sympathique, plus humain que les « singes savants » que sont souvent devenus les astronautes en réalisant les expériences. Avec le recul, je ne pense pas avoir failli à ma mission qui était, avant tout, d'attirer l'attention du grand public sur son

17. *Ibid.*

deuxième vol. Un vol qui, côté expériences, ressemblait trait pour trait au précédent [18].

D'ailleurs, Jean-Loup Chrétien reconnaît aujourd'hui que ce petit instrument fut un peu la mascotte de l'équipage pendant le vol. Il restera à bord de la station jusqu'à ce que notre astronaute le retrouve, presque dix ans plus tard, en 1997, lors de son retour sur *Mir*, à bord, cette fois-ci, de la navette spatiale *Atlantis*, dans le cadre d'une mission russo-américaine. Son troisième vol. Comme il s'agissait alors de l'une des dernières missions sur *Mir* avant son désorbitage, en 1999, après plus de dix ans de bons et loyaux services, Jean-Loup a cherché le fameux orgue, perdu derrière un fatras d'appareils scientifiques et l'a remporté avec lui. La saga de ce petit clavier devenu une grande vedette ne s'arrête pourtant pas là. Lors de son retour sur Terre, Jean-Loup descend de la navette avec son souvenir. Et c'est là qu'on découvre qu'Ubu est toujours roi, même aux États-Unis. Le service des douanes américaines décide de saisir le clavier. Motif : il a été exporté d'Union soviétique et est revenu aux États-Unis sans avoir rempli les formalités d'import-export… Incroyable mais vrai ! Pour un peu, Jean-Loup, citoyen français, donc étranger de surcroît, aurait pu être inculpé pour trafic d'instruments de musique… Il a fallu, nous a confié Lionel Suchet du CNES, de longues négociations, la rédaction de déclarations et même l'intervention du Quai d'Orsay pour que la raison finisse par

18. En voici quelques-unes : étude du système cardiovasculaire, des effets physiologiques de l'absence de gravité (mal de l'espace, perte de densité osseuse, perturbations du système immunitaire), de l'influence des ions lourds d'origine cosmique sur le système informatique des satellites, des effets de l'environnement spatial sur le vieillissement des matériaux, etc.

l'emporter. Le petit orgue trône désormais dans le bureau de George Abbey, ancien directeur adjoint du Centre de Houston, avec lequel Jean-Loup s'est lié d'amitié.

Cet intermède musical ne fut pourtant pas le moment le plus fort de la deuxième visite de Jean-Loup Chrétien dans l'espace. Pour l'astronaute français, le clou de la mission fut, bien évidemment, sa sortie dans l'espace en compagnie d'Aleksandr Volkov. Une première pour un non-Russe et non-Américain. But de l'opération : déployer une grande antenne. Bien que la manœuvre ait été répétée minutieusement, en piscine, à la Cité des étoiles, une fois en orbite, les choses ne se passent pas comme prévu. Au contact du vide et du froid spatial, la vapeur d'eau emmagasinée à bord de *Mir* s'est transformée en glace et a soudé les éléments métalliques de l'antenne. Impossible de la déployer. Comble de malchance, elle barre la route que les deux astronautes doivent emprunter pour retourner vers le sas. Le sol est alors appelé à la rescousse. Le temps passe. Les réserves d'oxygène baissent dangereusement. Jean-Loup s'évertue à débloquer l'antenne ERA. Ses efforts sont ponctués de halètements et, au bout du compte, d'un : « Merde ! », maudissant ceux qui ont conçu ce « fichu système ». Les ingénieurs au sol sont à court d'idées. Le temps presse. *Mir* va bientôt entrer, pour une heure, dans une zone sans couverture radio. Or, pour des raisons de sécurité, l'opération de déploiement de l'antenne ne doit être effectuée qu'en liaison avec le sol, soit durant un laps de temps d'une vingtaine de minutes, sur les quatre-vingt-dix que dure un tour de Terre. Pourtant, lorsqu'ils reprennent contact avec la station, une orbite plus tard, c'est une *Mir* avec l'antenne ERA déployée que voient réapparaître les contrôleurs du TSOUP ! Miracle ? Non. Mettant à profit leur silence, Volkov a simplement décidé de prendre l'initiative et de mettre à exécution un plan personnel qui ne figure pas dans les *check-lists* officielles. Enchaînant une série de coups de pied peu protocolaires, il a fini par avoir raison du givre. Et l'antenne s'est déployée, sans que les ingénieurs au sol n'aient le temps de protester contre cette méthode peu « scientifique ». « C'est la démerde russe », avouera Jean-Loup, en plaisantant... Mais, selon le vieil adage, les ennuis n'arrivent jamais seuls. Lors du retour dans le sas, avec à peine une vingtaine de minutes d'oxygène de réserve, son masque, embué, devient complètement opaque. Rendu quasi aveugle, il doit trouver à tâtons le couvercle de fermeture du sas et procéder au verrouillage. La première tentative se révèle infructueuse. Le temps s'écoule, les réserves en oxygène s'épuisent. C'est à cet instant qu'il se souvient qu'un bout de ficelle retenait la poignée de la manivelle. Installé par Musa, ce bricolage à la russe est destiné à empêcher la poignée de s'envoler dans l'espace lorsque la porte du sas est ouverte sur l'extérieur. À l'aveuglette, le « bon génie » de Jean-Loup lui intime de casser cette fichue ficelle pour pouvoir libérer la manivelle ! Comme il l'avouera plus tard : « Sans cela, nous étions conduits à tourner pour l'éternité dans l'espace... » Aussi critique qu'elle ait été – on comprend l'angoisse de Jean-Loup –, la situation n'était pas désespérée. Attenant au premier, un second sas offrait, en dernier recours, une solution de repli. Simplement, en cas de non-fermeture du premier, il n'y aurait plus eu alors de solution de secours, ce qui aurait probablement écourté la mission.

J'ai eu la chance, si l'on peut dire, de vivre cet épisode au TSOUP, au côté des équipes du CNES. Ce qui n'était pas franchement prévu au programme, les médias ne devant pas assister à cette partie de la mission. J'avais néanmoins décidé de la suivre, malgré le peu de liberté qui nous était octroyé. Imaginez : avant de pouvoir pointer le bout de son nez au TSOUP, à une trentaine de kilomètres au nord-est de Moscou, il fallait déposer une demande auprès du CNES, dénicher un interprète (entendez par là un homme du KGB) qui accepte de vous accompagner, puis un minibus pour vous y rendre. À vous décourager de tout ! Ulysse Gosset, qui dirigeait le bureau de TF1 à Moscou, me suggéra de contourner l'obstacle en se jouant de la rigidité des procédures. Nous avions remarqué que lorsqu'une voiture officielle (une Volga noire) se présentait à la barrière, le militaire de faction se penchait, ne jetant qu'un coup d'œil prudent à l'intérieur. Et pour cause : dans une telle voiture, il ne pouvait s'agir que d'un haut dignitaire. À côté du chauffeur, le passager brandissait alors un petit carnet rouge frappé d'une étoile rouge sur la couverture. Un simple petit carnet faisait donc office de certificat officiel et jouait le rôle de laissez-passer. En clair, c'était la preuve manifeste que le visiteur était soit un membre du KGB, soit un militaire. Sitôt dit, sitôt fait ! Puisqu'à cette époque tout s'achetait avec des billets verts, le bureau de TF1 loua une Volga noire. Une fois confectionné un petit carnet rouge avec la fameuse étoile – certificat officiel de l'Armée rouge ! –, je n'eus plus qu'à m'asseoir à côté du chauffeur et à cacher mon cameraman dans le coffre… Et cela a marché ! La barrière s'est miraculeusement levée et j'ai pu, ainsi, effectuer mes reportages au TSOUP. Le tout à la grande stupéfaction du chargé de communication au CNES qui me dit : « Mais, comment es-tu arrivé jusqu'ici ? » Et moi, de lui indiquer fièrement du doigt la Volga noire… Avec le recul, je crois que ce jour-là, je suis passé très près du goulag !

PLONGÉE AU CŒUR DES SECRETS SOVIÉTIQUES

Retour en juin 1982. Nous sommes ballottés dans un bus de couleur jaune qui semble tout droit sorti d'un film des années 1950. Les rares véhicules que nous croisons se garent sur le côté pour laisser passer le convoi. Il faut dire que nous faisons notre petite impression. Gyrophare bleu sur le toit, une Jeep militaire frappée de l'étoile rouge soviétique ouvre le chemin. Suivent les Volga noires des officiels, puis notre bus empli de journalistes et une autre Jeep, qui ferme la route. À travers les vitres nous essayons d'apercevoir ce qui nous entoure en soulevant les rideaux. « Pas de photos, pas de prise de vues ! » nous a-t-on dit et répété. De toute façon, le paysage n'a guère d'intérêt : à perte de vue, la steppe jaunie, déserte et pelée du Kazakhstan. Ici, les reliefs sont rares. Les arbres encore plus. Quelques kilomètres plus tôt, c'est même une ambiance de tiers-monde que nous avons découverte en descendant de l'avion. Aéroport est un bien grand mot pour décrire ces installations : une tour de contrôle, un radar juché sur le toit d'une remorque kaki, un vague bâtiment par lequel transitent de rares voyageurs et voilà tout... Enfin, presque tout. Sur le tarmac, avions militaires et hélicoptères voisinent avec des agents du KGB. Nos « amis » du contre-espionnage soviétique semblent sur les dents. Après tout, nous sommes encore en pleine Guerre froide et c'est la première fois qu'un groupe de journalistes français assiste au lancement d'une fusée *Soyouz* depuis la base spatiale la plus secrète au monde.

Baïkonour... Байконур dans l'alphabet cyrillique. À l'époque, pour quiconque s'intéresse un peu à l'espace, le nom fait rêver. Pas pour ce qu'il signifie. Sur ce sujet, personne ne semble s'accorder. Suivant les dialectes turc, kazakh ou russe, les traductions diffèrent. Cela va du très ennuyeux « la riche et belle steppe » au plus prometteur « l'endroit où pousse l'absinthe » en passant par « la richesse brune », en souvenir des mines de cuivre et de fer exploitées au XIXe siècle dans la région. S'il fait tourner les linguistes en bourrique, Baïkonour a aussi le don de piéger les géographes amateurs. C'est que, histoire de tromper l'ennemi – et d'induire en erreur les services d'espionnage occidentaux –, les Soviétiques ont donné à leur base ultrasecrète le nom d'une ville minière située à 370 kilomètres au nord-est. En réalité, le cosmodrome Baïkonour se situe à Tioura-Tam, sur la ligne de chemin de fer qui relie Moscou à Tachkent.

Pourquoi les Soviétiques ont-ils installé cette base à quelque 2 100 kilomètres de Moscou, au Kazakhstan, au beau milieu de nulle part, dans un lieu où les températures atteignent – 30 °C l'hiver et plus de 50 °C l'été ? Tout commence en 1954, quand le Conseil des ministres de l'URSS donne son feu vert à la construction d'un missile balistique intercontinental, le *R-7 Semiorka*, capable de lancer une bombe thermonucléaire de 7 tonnes sur les États-Unis, à 6 500 kilomètres de l'Union soviétique[19]. Pour tester un tel monstre, la base historique de lancement de Kapoustine Iar, à environ 1 000 kilomètres au sud de Moscou, se révèle inadaptée. Il faut trouver un autre lieu, situé de préférence dans une zone à la fois désertique – pour permettre la retombée sans risque des deux premiers étages de l'engin – et plate – afin que le relief ne brouille pas le guidage radio. Perdue au milieu de la steppe kazakhe, loin du regard des espions occidentaux, mais tout de même reliée par la ligne de chemin de fer Moscou-Tachkent aux principaux centres industriels du pays, la petite ville de Tioura-Tam s'avère la candidate idéale[20].

Pour nous, Baïkonour représente le saint des saints de l'astronautique soviétique. L'endroit des grandes premières en matière spatiale. Le lieu d'où décollèrent le *Spoutnik*, premier engin à être placé en orbite autour de la Terre en 1957, et Iouri Gagarine, premier homme à quitter l'atmosphère terrestre, le 12 avril 1961... Bref, un véritable mythe dont nous ne connaissons rien, hormis quelques photos officielles, savamment expurgées par le KGB. Bien sûr, quelques Occidentaux en ont déjà foulé le sol. Le général de Gaulle a même été le premier chef d'État étranger autorisé à visiter la base. Le 25 juin 1966, soit onze ans après le début de sa construction, il assiste au lancement d'un satellite météorologique, *Meteor*, et d'un missile balistique *SS4*, selon la terminologie de l'OTAN. Impressionné par la maîtrise des Soviétiques, le Général fut,

19. *Baïkonour, la porte des étoiles*, Jacques Villain, Armand Colin & SEP, 1994.
20. *Dans les coulisses de la conquête spatiale*, Jacques Villain, Cépaduès, 2003.

sans aucun doute, conforté dans sa décision de doter notre pays d'une force de frappe nucléaire. Quatre ans plus tard, son successeur, Georges Pompidou fut le deuxième visiteur occidental du site. Mais il fallut attendre 1975 et l'opération *Apollo-Soyouz* pour voir ses portes s'ouvrir – disons s'entrebâiller – aux journalistes. Lors de cette première mission conjointe entre les deux Grands, les chaînes de télévision américaines purent y tourner quelques furtifs reportages. Aussi ce vol de 1982, qui permet pour la première fois à un Français (Jean-Loup Chrétien) d'embarquer à bord d'un *Soyouz* avec deux Russes (Vladimir Djanibekov et Aleksandr Ivanchenkov), est pour nous l'occasion de lever un coin du voile enveloppant la plus grande – et la plus secrète – base spatiale du monde.

Après une demi-heure de route depuis l'aéroport, notre cortège arrive à destination. Barrage, poste de garde, nouveaux contrôles d'identité et comptage des passagers, histoire de vérifier qu'aucun d'entre eux n'a eu l'idée bizarre de s'échapper pour se promener dans la steppe désertique. Enfin, nous franchissons le mur de plaques de béton qui ceinture toute la ville. Ambiance Berlin-Est. Quand nous débarquons de notre bus jaune, la petite bourgade, autrefois occupée par les seuls employés du chemin de fer, n'a plus rien d'un trou paumé. Tioura-Tam est désormais une agglomération de cent mille habitants[21], une « base vie » pour un cosmodrome lui aussi sorti de nulle part, comme planté au milieu du désert. Avec ses 120 kilomètres de long et ses 60 kilomètres de large,

21. À mesure que les quelques bicoques entourant la gare de chemin de fer se transformaient en une véritable ville, le site changea plusieurs fois de nom. Appelée successivement Zarya, Leninskiy, Leninsk et Zvezdograd, l'agglomération prit finalement celui de Baïkonour en 1995.

le complexe est grand comme le département de la Gironde. Démesuré. Dans cet environnement où les seules ressources semblent être le sable et l'eau, on reste sans voix face au travail pharaonique réalisé en quelques années par des milliers de militaires. Autour de la place centrale, on trouve l'hôtel pour les délégations, le bureau de poste et un magasin – l'équivalent d'un drugstore américain, en moins riche évidemment. Au centre, l'inévitable statue de Lénine. À l'exception de quelques véhicules militaires et des Volga noires des officiels, pas de circulation.

Nous voilà assignés à résidence. Dès que l'un d'entre nous fait mine de quitter l'hôtel pour jouer les touristes, deux interprètes lui emboîtent le pas et le reconduisent vite à la case départ… Côté communication, nos mouvements sont là aussi limités. On est encore à mille lieues des téléphones portables et d'Internet. C'est une préposée, ne parlant ni le français ni l'anglais, qui appelle Moscou pour qu'on nous établisse la communication avec Paris. Le plus cocasse dans cette affaire reste l'utilisation du Télex par mes confrères de la presse écrite : le clavier de la machine à écrire est, bien sûr, en caractères cyrilliques !

Après ce premier contact avec la vie sur une base secrète soviétique, nous retrouvons notre compagnon de route, ce bon vieil autocar jaune. C'est parti pour la visite du site. À travers les vitres, la première impression est celle de l'immensité. Les distances sont énormes. Çà et là, plantés au beau milieu de la steppe, nous croisons un groupe de bâtiments puis, plus loin, une centrale thermique qui crache une fumée noire. Enfin, partout où nous posons les yeux, des lignes de chemin de fer : 490 kilomètres de voies ferrées desservant quinze pas de tir !

Baïkonour ressemble à une gigantesque gare de triage. Ici, le train est roi, les véhicules plus rares. La faute au climat : les routes ont du mal à supporter le gel hivernal (avec ses 1 à 2 mètres de neige).

C'est donc par chemin de fer que tout arrive de Moscou. Le ciment, les matériaux de construction, les machines-outils et même les fusées ! Eh oui ! à notre stupéfaction, nous découvrons que la fusée *Soyouz*, construite à Samara, à environ 1 000 kilomètres au sud de Moscou, arrive par le train en pièces détachées. Bien sûr, les étages et la cabine sont placés dans des containers pressurisés à l'azote pour éviter toute intrusion de poussière. N'empêche, quelle prouesse ! Quand on jette un coup d'œil un tant soit peu expert à la voie, on ne peut être qu'admiratif de la conception et de la solidité du matériel soviétique. Transportez les étages d'*Ariane* par chemin de fer, et l'on jugera du résultat...

Nous nous approchons d'un immense bâtiment à l'allure délabrée, dont les conduites de chauffage extérieures sont couvertes de rouille. On s'étonne. « *Nichevo !* » – « Cela n'a pas d'importance ! » – répondent les Russes en haussant les épaules. Et ils ajoutent : « L'important c'est que cela marche ! » Et ça fonctionne : à Baïkonour, on lance, au début des années 1980, une fusée tous les trois jours. Au total, *Soyouz* décollera plus de mille huit cents fois... Cet édifice s'appelle le MIK, ou encore bâtiment d'assemblage. Une vraie cathédrale ! D'un côté arrivent depuis Samara les douze wagons qui transportent les éléments du lanceur, de l'autre sort une voie ferrée conduisant au pas de tir, environ un kilomètre et demi plus loin. Entre les deux, dans le hall, on assemble le lanceur à l'aide d'un pont roulant. Le tout donne une impression de facilité et d'efficacité déconcertante. C'est ce qu'on aime chez les Russes ! Et c'est ce qui impressionne. Car n'oublions pas que tout ceci a été imaginé en 1955, à l'abri des regards occidentaux, avec l'appui de la seule technologie soviétique. Ils ont donc dû faire avec les moyens du bord, sans ordinateur, avec des machines-outils remontant à la Seconde Guerre mondiale... Chapeau, messieurs !

Le meilleur moment pour découvrir le MIK reste le petit matin, quand ses immenses portes s'ouvrent pour laisser sortir le convoi en direction du pas de tir. On a beau avoir vu et revu les images de ce rituel, immuable depuis Gagarine, l'ébahissement demeure. On a beau, comme moi, avoir eu l'occasion de revenir à Baïkonour à plusieurs reprises, la sensation est toujours la même : une forte émotion, doublée d'un grand respect pour les techniciens et leur maîtrise. Mais, pour cette première fois, en ce jour de juin 1982, j'oscille, comme les autres journalistes occidentaux, entre la stupéfaction et l'émerveillement.

Couchée sur un énorme wagon, présentant aux regards ses vingt moteurs dont les tuyères sont obstruées par des caches rouges, la fusée *Soyouz* avance à la vitesse d'un homme à pied. À son arrivée sur le pas de tir, elle est redressée par des vérins hydrauliques, puis enserrée par des plateformes. À la différence d'*Ariane* ou de la navette américaine, elle ne repose pas sur sa table de lancement, mais reste suspendue, quatre bras soutenant la partie haute du premier étage. C'est simple, voire rudimentaire, mais diablement efficace. Sur le pas de tir, rien, hormis quelques passerelles d'accès. Tout ce qui participe à la mise en œuvre du lanceur, les connexions électriques, les ventilations, les raccords pour le plein d'oxygène liquide et de kérosène, reste protégé sous une dalle de béton de cinq mètres d'épaisseur. C'est que nous sommes devant un équipement initialement conçu pour lancer un missile stratégique, bien loin de la logique plus transparente des vols commerciaux ou habités. Les Russes ont pensé à tout, dissimulant leur plateforme aux regards trop curieux des U2, les avions espions américains, la protégeant même d'une éventuelle destruction : en cas de bombardement, le cœur névralgique du dispositif resterait bien à l'abri sous le béton et quelques semaines suffiraient pour remettre l'installation en état.

Prévoyants, les Soviétiques sont aussi amateurs de symboles. Comme le régime a – en principe – banni la religion, ils ont érigé en dieux des hommes bien réels : Lénine, évidemment, mais aussi Gagarine, le premier homme à avoir été dans l'espace, devenu ensuite ambassadeur du régime. Depuis le 12 avril 1961, avant chaque lancement, on reproduit les gestes et les opérations qui précédèrent le premier vol. Comme si le temps s'était arrêté à cette époque. Seule nouveauté au fil des années, la présence de véhicules plus modernes que les antiques Lada.

Le 25 juin 1982, l'équipe du *Soyouz T-6* de Jean-Loup Chrétien se prête à ce rituel immuable. En voici quelques séquences. La journée précédant le décollage est consacrée aux ultimes préparatifs et marquée par la réunion de Commission d'État, à l'hôtel des cosmonautes. Ce n'est qu'à ce moment qu'est donnée la composition de l'équipe de vol et, de fait, celle de la doublure. Autrement dit, les noms des malheureux qui, ayant subi le même entraînement que les partants, resteront au sol. Comme le dit Michel Tognini : « Il y a les élus et ceux qui le seront peut-être plus tard. » Suit un énième et dernier contrôle médical, au cours duquel se déroule l'épreuve du lavement. Pour pouvoir rester deux jours entiers coincés sur le siège du *Soyouz* avant de rejoindre la station *Saliout 7*, les cosmonautes sont littéralement purgés. Une préoccupation hygiénique qui fait le bonheur des ingénieurs : l'opération permet de gagner au moins 1 kilo par cosmonaute ! Autre tradition également respectée : dans le but de détendre l'équipe, un vieux « western » soviétique, *Le Soleil blanc du désert*, est projeté[22]. C'est aussi l'occasion de faire quelques farces, comme lors du vol de Michel Tognini en 1992, quand les trois cosmonautes avaient passé par-dessus leur scaphandre les habits des Trois Mousquetaires !

Le jour J, le réveil intervient sept heures et demie avant le décollage. Avant de quitter sa chambre, chaque cosmonaute appose sur la porte sa signature au feutre. Après le petit déjeuner, le champagne est offert à tous, cosmonautes, médecins, techniciens. On porte un toast, bien évidemment, mais assis, car rester debout porterait malheur... Fin prêts, les cosmonautes quittent ensuite le MIK, le bâtiment d'assemblage des fusées, et gagnent à pied la zone où stationne le bus blanc et beige qui les mènera au pas de tir. Là, ils s'immobilisent sur les trois emplacements marqués au sol à la peinture blanche. Au centre, le commandant de bord, à gauche, l'ingénieur et à droite, l'expérimentateur, en l'occurrence le passager. C'est là que se tient Jean-Loup Chrétien. Puis vient la traditionnelle cérémonie de passage des consignes devant le président de la Commission d'État. Le commandant de bord prend la parole et lui confirme que l'équipage est prêt pour le vol. Le président félicite l'équipage et précise à son tour que les moyens

22. *Baïkonour, la porte des étoiles*, *op. cit.*

techniques sont opérationnels. Le voyage vers l'espace peut commencer, avec un parcours d'1 kilomètre et demi vers le pas de tir. « Nous partons confiants mais inquiets, décrit Michel Tognini. Impossible de ne pas penser à l'accident. Nous nous installons tout de même en haut d'un pétard qui contient 300 tonnes de carburant ! » Avant d'arriver au pas de tir reste un dernier rite à accomplir. Depuis Gagarine, l'équipage s'arrête à mi-chemin pour uriner sur les roues du car[23]...

Ne croyez pas que le retour sur Terre mette fin à ces petites superstitions. À nouveau sur le plancher des vaches, chaque membre de la mission plante un arbre dans le jardin attenant à l'hôtel des cosmonautes. Le plus ancien et le plus gros est évidemment celui de Gagarine. Enfin, chaque cosmonaute reçoit un exemplaire de la clef qui se trouve sur le pupitre du champ de tir. Au début, nous avons bien cru à une plaisanterie de bidasse : « Allez demander à l'adjudant en chef la clef du champ de tir ! » Du temps du service militaire, il y avait dans chaque classe une nouvelle recrue qui faisait l'objet de ce « bizutage de bleu ». Mais à Baïkonour, comme maintenant à Kourou en Guyane, il y a bien une clef sur le pupitre de l'officier de tir. Elle ne sert pas à commander directement l'allumage des moteurs, mais déclenche la séquence synchronisée – autrement dit la succession d'opérations – qui conduit à l'allumage des vingt moteurs de *Soyouz*, six minutes plus tard. Cette clef possède trois positions : une de tir, une deuxième de report et la troisième d'annulation. Le 24 juin 1982, elle restera sur la première position... À 22 h 20, les moteurs

23. *Ibid.*

du *Soyouz* sont mis en route. Cinq cent vingt-six secondes plus tard, placé en orbite autour de la Terre, Jean-Loup Chrétien devient le premier Français dans l'espace. Il y restera sept jours, réalisant de nombreuses expériences, notamment dans le domaine de la physiologie spatiale.

Depuis ce premier vol, je suis retourné plusieurs fois à Baïkonour. L'un de mes meilleurs souvenirs reste le décollage d'une fusée *Proton*. Nous sommes cette fois en juillet 1988. Paul Quilès, alors ministre de la Poste, des Télécommunications et de l'Espace, est invité par les Soviétiques à assister au lancement de la première des deux sondes *Phobos*, du nom de l'un des satellites de Mars, autour duquel elles vont être placées en orbite. Pour marquer l'événement, les Soviétiques ont convié quelques militaires américains – Gorbatchev est au pouvoir depuis quatre ans et les relations entre les deux Grands se détendent –, ainsi qu'une délégation française, le pays étant associé au programme en tant que fournisseur d'instruments. L'un des conseillers espace de Paul Quilès, le jeune et brillant scientifique Jean-Yves Le Gall[24], me contacte à TF1 pour me proposer de participer à cette visite. Quelle aubaine ! Assister au lancement de l'énorme fusée *Proton*, c'est une grande première ! Comme le lancement tombe à 20 h 30, heure de Paris, et donc à la fin du journal du soir, je demande à couvrir l'événement en direct. Le contact est établi avec l'ambassade de France à Moscou et le bureau de TF1, tenu à l'époque par Ulysse Gosset. Matignon s'occupe des formalités.

24. Il deviendra par la suite P.-D.G. d'Arianespace, puis directeur général du CNES.

Nous sommes impatients de découvrir pour la première fois la *Proton*. Capable de placer 22 tonnes de charge utile en orbite basse, cet engin a été conçu pour le programme lunaire soviétique. Confié en 1964 au génial constructeur de missiles stratégiques Vladimir Tchelomeï, celui-ci prévoyait le survol de la Lune par deux cosmonautes avant leur retour sur Terre. Pour le réaliser et battre de vitesse les Américains, Tchelomeï propose la construction d'un lanceur surpuissant pour l'époque, l'UR 500, autrement dit *Proton*, doté d'une poussée de 900 tonnes au décollage.

En réalité, je l'ai appris plus tard, il y eut non pas un, mais deux programmes lunaires soviétiques, ce qui a conduit à leurs échecs respectifs[25]. Celui de Tchelomeï, qui prévoyait de survoler la Lune, et un autre plus ambitieux, mené par Sergueï Korolev, dont le but était d'y déposer un homme. Deux programmes qui poussèrent les deux hommes à se livrer à une sérieuse rivalité, mâtinée de querelles de pouvoir. Et pour cause : Tchelomeï, outre ses compétences, avait la chance d'être proche de Nikita Khrouchtchev, ce qui lui facilitait grandement les choses. C'est ainsi que fut lancé le programme *Proton*. Le premier lancement eut lieu le 16 juillet 1965. L'enchaînement qui suivit est connu : les désaccords profonds entre les dirigeants des programmes spatiaux soviétiques, la mort de Korolev en 1966 et les problèmes rencontrés par son projet de lanceur, puis le triomphe des Américains en 1969, signèrent l'échec du programme lunaire. *Proton* devint alors le cheval de bataille de l'astronautique soviétique, puis russe, avec deux cent douze

25. *Pourquoi nous ne sommes pas allés sur la Lune*, Vassili-Pavlovitch Michine, Cépaduès, SEP & CNES, 1993.

lancements de satellites, de modules de stations spatiales et de sondes interplanétaires, le tout entre 1965 et 1993.

En juillet 1988, nous nous retrouvons donc à Baïkonour pour le lancement de la première sonde *Phobos*. Dans le hall du MIK, couchée sur son wagon érecteur, la *Proton* n° 2. La première est déjà érigée sur le pas de tir, en attente du lancement prévu dans quelques heures. Quel choc face à ce monstre de 60 mètres de long ! Pour la forme, les autorités nous demandent de revêtir une blouse blanche. Nous sommes en principe en salle propre... Très propre même, puisqu'une *babouchka* balaie consciencieusement le sol avec un balai en paille de riz...

Devant le lanceur, sur toute sa longueur, un ensemble de tables recouvertes d'une nappe : les autorités soviétiques ont bien fait les choses et, sens de l'hospitalité oblige, ont tenu à offrir à leurs invités, après les discours officiels, les incontournables toasts. Incroyable ! Enfin, pour parachever le tableau, le photographe chargé de la photo officielle se sert de la *Proton* comme d'un escabeau... Le voilà qui escalade les capots protégeant les moteurs du premier étage. Et pour que le décor soit complet, on boit et on fume juste à côté du lanceur prêt à partir pour l'espace. Sacrés Russes !

Comme j'avais exprimé le souhait de commenter le lancement en direct dans le journal de Patrick Poivre d'Arvor, je me retrouve embarqué avec un interprète dans une Jeep russe : direction le pas de tir. Il fait nuit noire. Au loin, les lumières des projecteurs. Tout en roulant, je vois passer un train qui déverse sur des quais en bois des poignées de voyageurs, vraisemblablement des techniciens. Et on roule, on roule. Habitué des lancements, je connais les distances de sécurité à respecter. Mais où m'emmènent-ils ?

À 1 kilomètre à peine du pas de tir, nous rencontrons un camion militaire avec un groupe de soldats chargés d'éclairer le lanceur. Là, face à la gigantesque *Proton* d'une blancheur éclatante, les autorités et la télévision soviétique ont aménagé un petit studio. Studio, c'est beaucoup dire… Un bureau avec tiroir, une petite lampe, un fauteuil et – devinez quoi ? – un téléphone pour appeler en direct, s'il vous plaît, Paris et TF1 ! Le tout se passe en pleine « chrono », c'est-à-dire en plein compte à rebours, à peine un quart d'heure avant l'heure du décollage… Seule consigne d'un technicien russe : « Dès que vous verrez les flammes rouge orangé à la base de la fusée, ouvrez la bouche pour équilibrer la surpression des oreilles ! » En fait de surpression, c'est un claquement sec qui ponctue l'allumage des six moteurs, suivi d'un terrible grondement pendant que *Proton* s'élève lentement, impressionnante et terrifiante. Si le lanceur avait explosé, vous ne pourriez pas lire ces lignes aujourd'hui.

De retour près de la tribune officielle, Paul Quilès se dirige vers moi, sourire aux lèvres. « Encore en vie, Michel ! Vous vouliez la voir de près… » Il ne croit pas si bien dire.

Par la suite, il m'emmènera en Guyane, toujours en compagnie de Jean-Yves Le Gall, pour nous approcher d'*Ariane 4*. À l'époque, le lanceur européen rencontrait des problèmes avec la fixation des boosters à poudre, ces petites fusées d'appoint chargées de l'aide au décollage. Nous nous retrouverons en route, avec un cameraman de TF1 et une photographe, à bord d'un Falcon 7X, direction la Guyane et le pas de tir d'*Ariane*... Le rêve ! Être sur la table de lancement, contre le lanceur ! Pouvoir le toucher, alors que, d'habitude, notre métier nous cantonne à commenter en direct le lancement à 6500 kilomètres de là, devant un écran de télévision. Aujourd'hui, ce genre de situation n'est plus possible, et surtout plus envisageable, sacro-saintes normes de sécurité obligent. Quel dommage !

PATRICK BAUDRY :
LES FACÉTIES DU « *FIRST FRENCHY* »

Rien de tel que le bon vieux système D pour placer des hommes en orbite sans bourse délier. À partir du début des années 1980, la France est passée maîtresse dans l'exercice en allant frapper alternativement à la porte des Soviétiques et des Américains pour leur proposer d'astucieux systèmes d'échanges. Une façon de s'assurer un accès à l'espace sans avoir à respecter les accords européens qui auraient obligé nos astronautes à attendre sagement leur tour dans l'antichambre des étoiles. En usant des mêmes expédients que Jean-Loup Chrétien, Patrick Baudry obtint un siège, dans la navette américaine cette fois, au début de l'été 1985. Un événement pour le « *first Frenchy* », et l'épilogue d'une histoire riche en péripéties[26].

Patrick, brillant pilote de chasse, puis pilote d'essai au Centre d'essais en vol de Brétigny, a été sélectionné en 1980

---

26. *Les Fils d'Ariane*, *op. cit.*

par le CNES, au même titre que Jean-Loup Chrétien. Il va, comme lui, suivre l'entraînement des cosmonautes soviétiques à la Cité des étoiles jusqu'en 1982, puis devenir membre de l'équipage de réserve du premier vol spatial franco-soviétique. Simple doublure de Jean-Loup, il se contentera d'assister au décollage de son frère d'armes à Baïkonour. De retour en France, les deux hommes ne savent pas de quoi leur avenir sera fait. Le CNES, à l'époque, n'a pas encore d'idées très précises sur le futur des vols habités. Mais, quand on a goûté à l'ivresse de l'apesanteur, difficile de s'en passer. Tous les astronautes vous le diront, on n'a plus qu'une seule idée en tête : voler à nouveau !

C'était vrai pour Jean-Loup, ça l'était encore plus pour Patrick, resté au sol. Voilà donc nos deux astronautes sillonnant les routes de France, multipliant les conférences et plaidant pour les vols habités. Jusqu'au moment où, lors d'une visite présidentielle de François Mitterrand à Washington, Ronald Reagan invite un astronaute français à embarquer dans la navette pour sa prochaine mission. Fort logiquement, c'est Patrick Baudry qui est désigné pour ce petit voyage en « stop orbital », comme l'appelle mon collègue d'Europe 1, Bernard Chabbert. Pourquoi « stop orbital » ? Tout simplement parce que, comme le font les Soviétiques, les Américains offrent le véhicule, le logement et l'entraînement... Un joli cadeau ? Pas tout à fait. On l'apprit plus tard mais, en contrepartie, la France avait autorisé les navettes américaines à se poser en cas de problème sur la piste de l'atoll Hao, en Polynésie. Du troc, en quelque sorte.

Pourtant, malgré l'accord entre les deux chefs d'État, Patrick devra patienter un peu avant de s'envoler. Au terme d'une année d'entraînement, il est affecté à la mission STS 51E sur *Challenger*, qui sera annulée à la suite de graves problèmes techniques. Il est alors désigné pour la prochaine mission de *Discovery*. Mais le temps passe. Volera ? Volera pas ? Les rumeurs d'un ajournement de la mission enflent à Houston. Difficulté supplémentaire : certains soupçonnent le Français d'être un espion à la solde de l'Union soviétique ! À leur décharge, disons que son attitude pouvait nourrir la paranoïa, déjà galopante, des Américains. D'abord, sa compagne était soviétique. Ensuite, Patrick n'hésitait pas à dénigrer ouvertement l'administration américaine, avec des remarques du genre : « Chez les Russes, c'est plus simple, ça marche mieux ! » Dans ce contexte, l'idée est venue à certains d'entre nous d'en rajouter un peu dans le côté « franchouillard ». Lors d'une dernière visite à quelques heures du départ, Roland Sanguinetti, directeur de la communication chez Matra, et moi-même lui offrons quelques cadeaux d'un genre un peu particulier. Patrick saura en faire bon usage pour faire parler de son vol… Le matin du lancement de la navette, qui a finalement lieu le 17 juin 1985, l'équipage, en combinaison de vol, quitte le bâtiment d'intégration des charges utiles où il est tenu en quarantaine. Il passe alors devant les journalistes, photographes et cameramen avant de monter dans l'astrobus qui va les mener au pas de tir, à 5 kilomètres de là. Bien sûr, une poignée de Français guette notre héros national. Lequel, à la surprise générale, arrive parmi les derniers du groupe, coiffé… d'un béret basque ! Hurlements de joie parmi notre petit groupe ! Ce qui n'était pour nous qu'un clin d'œil potache va prendre une autre dimension. La presse locale, le *Houston Chronicle*, en fait sa Une, reprise bien sûr par d'autres confrères.

Le président du CNES, Jacques-Louis Lions, manque de s'étrangler. Quant au chef du service de presse, il m'apostrophe d'un : « Tu es dans ce coup-là ? » Eh oui ! comme derrière les quelques autres surprises que nous réservait encore Patrick.

Au cours d'une interview en direct dans le journal de PPDA, à laquelle participe aussi Hubert Curien, le ministre de la Recherche et de la Technologie, notre astronaute, seul au poste inférieur de la navette, sort de la pochette de sa combinaison un objet à peine plus grand qu'une carte d'identité. À la manière de ces livres pour enfants dont les pages font apparaître un décor en s'ouvrant, il la déplie. Et voilà qu'apparaît un modèle réduit en carton de la navette européenne *Hermès*. Arborant la maquette, le voilà qui proclame : « *Hermès* volera ! » Pour la petite histoire, nous étions alors en 1985 et la France envisageait de se lancer dans la course à l'espace avec une petite navette propulsée par *Ariane 5*, projet qui divisait d'ailleurs le CNES. Je me tourne vers le ministre qui, diplomatiquement, esquisse un sourire... À la fin de la vidéotransmission, Hervé Bourges, alors président de TF1, avait organisé une réception. Se dirigeant vers moi, visiblement satisfait de la séquence, il me demande : « Michel, vous êtes complice dans cette affaire ? » À peine ! Il faut dire que mon fidèle maquettiste, Louis Dumont, avait eu la bonne idée – dévouement à son employeur oblige – de coller sur le ventre de la petite *Hermès* de papier un logo TF1.

Le meilleur était encore à venir. Un peu plus tard, au cours d'une autre vidéotransmission, Patrick apparaît assis dans le fauteuil du commandant de bord, dans le poste de pilotage. En soi, rien d'anormal, si ce n'étaient ses pieds, posés sur le pupitre et chaussés de... charentaises bleu-blanc-rouge.

Bingo ! Le dernier de mes cadeaux d'avant-décollage trône majestueusement sur le tableau de bord d'un vaisseau spatial.

De toutes ces facéties m'est surtout resté le rôle joué par le béret... Tellement anecdotique, tellement décalé au pays des cow-boys, tellement *frenchy*, que je décidai d'en porter un lors de mes visites à Houston. Les astronautes que je croisais ne me connaissaient pas mais me saluaient d'un : *« Hello, French Beret ! »* Du coup, ils savaient que j'étais un journaliste français, ce qui facilitait grandement les contacts ! Seul inconvénient : il me fallait porter en permanence ce couvre-chef, même par 40 °C à l'ombre...

RETOUR À BAÏKONOUR

L'avantage quand on est un journaliste spécialisé, c'est que l'on finit par bien connaître le terrain. Ce fut mon cas avec Baïkonour. Au fil de mes visites, j'ai pu y tisser un réseau de relations professionnelles, et surtout amicales, notamment avec mon homologue de la télévision russe de l'époque, Sergueï Slipchenko, et avec le colonel Gorbounov, responsable des forces spatiales russes – entendez par là de la sécurité des installations. Un peu l'équivalent dans le domaine aéronautique de la GTA française, la Gendarmerie des transports aériens.

C'est en 1996, au cours du premier vol de Claudie Haigneré, que Sergueï Slipchenko me témoigna son estime et son amitié. J'avais suivi, comme tous mes confrères, les conférences de presse du CNES et effectué les rares visites à la Cité des étoiles de Moscou où elle s'entraînait. Claudie avait tout pour elle : la beauté et l'élégance, l'intelligence, la culture scientifique et la fameuse volonté de réussir « comme les mecs ». Car force est de reconnaître que, à l'époque, l'espace était surtout réservé aux hommes et restait la chasse gardée des militaires.

Claudie Haigneré n'était ni l'un ni l'autre. Rhumatologue, spécialiste en médecine aéronautique et en médecine du sport, docteur en neurosciences, celle que l'on surnomme parfois « Bac +19 » est avant tout une scientifique accomplie. Et si, à 12 ans, elle a rêvé en regardant Neil Armstrong faire ses premiers pas sur la Lune, rien ne la prédestinait à devenir la première astronaute française. C'est à l'hôpital Cochin, dans le service de rhumatologie où elle exerce, qu'elle tombe sur une petite annonce, un jour de 1985 : le CNES recherche des candidats pour partir dans l'espace. Ils seront mille à répondre, sept à être sélectionnés, dont Claudie. À l'époque, rares sont les femmes à avoir eu la chance « d'échapper à la gravité ». Entre le vol en 1963 de la pionnière, la Russe Valentina Terechkova, et 1985, elles ne sont que neuf, toutes américaines, contre pas loin de deux cents hommes. Onze ans plus tard, lorsque notre rhumatologue embarque enfin à bord de *Soyouz*, vingt et une femmes supplémentaires ont volé dans l'espace. Claudie Haigneré est donc la trente et unième femme (elles ne sont qu'une soixantaine à ce jour). La première Française !

À Moscou, il était prévu que la presse assiste à l'arrivée des membres de l'équipage, revêtus de scaphandres, pour prendre place dans le simulateur de vol de la capsule *Soyouz*. Les journalistes auraient ensuite accès aux cosmonautes pour quelques interviews, puis : « Circulez, il n'y a plus rien à voir ! » De mon côté j'envisageais les choses différemment. *Via* le bureau de TF1 à Moscou qui me servait de base logistique, je demandai à prendre la place d'un membre de l'équipage à bord du *Soyouz*, aux côtés de Claudie, habillé d'un scaphandre comme elle ! C'était avant l'heure de la téléréalité. Faire vivre l'événement presque en direct...

Facile à dire mais pas si simple à réaliser ! Ne serait-ce qu'à cause de ma stature : 1,85 mètre et 90 kilos... Des mensurations largement inhabituelles pour un cosmonaute russe. L'exiguïté du *Soyouz* imposait de sélectionner des hommes de petite taille. Trouver un scaphandre à mon gabarit fut compliqué. Néanmoins, grâce aux relations de Sergueï Slipchenko, à la complicité du CNES et à la bienveillance des autorités russes, me voilà dans la salle d'habillage des cosmonautes en caleçon et tee-shirt, pendant que Claudie s'habille dans la pièce d'à côté. Pour des raisons d'hygiène et de transpiration, on enfile d'abord un justaucorps en coton qui ne laisse dépasser que la tête et les mains, puis on se glisse dans la combinaison de vol doublée, à l'intérieur, d'un revêtement en caoutchouc pour des questions d'étanchéité. Glisser est un bien grand mot. Sans l'aide de deux assistants, je ne serais jamais parvenu à sortir la tête par le trou, cerclé d'un anneau métallique et sur lequel vient se verrouiller le casque, tout en enfilant mes bras dans les manches. Une expérience inoubliable, évidemment immortalisée par mon cameraman. Mais le plus amusant fut la surprise de Claudie Haigneré en me voyant sortir de la salle d'habillage à la place de l'un de ses compagnons de vol...

****

Après les seize jours passés par Claudie à bord de *Mir*, retour sur Terre dans les steppes du Kazakhstan, près d'Arkalik. Robert Namias, alors directeur de l'information de TF1, souhaite profiter de l'événement pour obtenir un scoop : « Elle est étonnante Claudie ! Il me la faut avant tout le monde dans le 20 heures ! » Comme on dit dans le métier, « Y a ka... »

Mais comment faire ? Attendre son retour à Moscou ? Dans ce cas, tous les médias bénéficieront aussi d'une interview. Non, il faut y être avant les autres. Mais où ? Pardi ! Au moment de l'atterrissage de la capsule *Soyouz*, en pleine steppe… C'est à ce moment-là que je pus me féliciter d'avoir noué d'excellentes relations avec Sergueï Slipchenko. Durant tout cet épisode, mon confrère de la télévision russe fut tout simplement génial. Avant de rallier Baïkonour puis la ville d'Arkalik, passage par Moscou avec la maquette de la station *Mir*, que j'utilisais régulièrement à TF1, bien rangée dans trois caisses. À ma connaissance, la télévision russe n'en possédait pas et j'eus donc l'honneur d'être interviewé par Sergueï au journal télévisé du soir, *Vramia*.

Arrivés à Baïkonour (disons à l'aéroport de Leninsk), Sergueï, qui avait tous les laissez-passer, me présente à un colonel en tenue, petit et doté de fines moustaches. À voir les garde-à-vous et les saluts des autres militaires présents sur le tarmac, je me suis dit que ce petit homme devait être très important ! Le colonel Gorbounov était en effet le chef des forces spatiales russes : le service de sécurité de toute la base. Dans un anglais approximatif – « *Go weve me !* » –, il m'invite à quitter la délégation française avec mon cameraman pour grimper dans l'une de ces antiques Jeep russes UAZ. Stupeur des confrères. Plus de contrôle. Plus de barrières. La voiture au gyrophare bleu a le droit de passer partout. Quelle jubilation ! Après avoir parcouru des kilomètres sur une route défoncée puis longé d'immenses bâtiments délabrés, nous arrivons sur le site Energia-Bourane. Soit la zone où, dans le plus grand secret, les Soviétiques préparaient leur programme lunaire au cours des années 1960 et 1970. Nous sommes au royaume de Gulliver : ici, tout est gigantesque. D'ailleurs, il n'y a pas un mais deux pas de tir construits à quelques centaines de mètres l'un de l'autre, témoignages d'acier et de béton des deux plus grandes défaites de l'astronautique soviétique puis russe : la conquête de la Lune et l'élaboration d'une navette.

Après l'échec du programme lunaire dans les années 1970, les Soviétiques recyclèrent ces installations pour servir un projet tout aussi titanesque : la navette *Bourane* et son lanceur *Energia*. Un autre terrible fiasco. Faute d'argent, plombé par les problèmes techniques, il fut abandonné en 1993, après un unique vol. J'en ai devant moi la dépouille. Dominant les carneaux profonds de 50 mètres par lesquels s'évacuent les flammes au moment de l'allumage, la tour de service de 60 mètres de haut. Autour, des mâts métalliques de 225 mètres jouent le rôle de paratonnerres. C'est un vrai musée à ciel ouvert, rongé par la rouille. Mais le plus émouvant reste à venir. Bientôt, le colonel Gorbounov m'emmène à 7 kilomètres du pas de tir pour visiter le bâtiment d'intégration d'*Energia-Bourane*. Un bâtiment ? Non, une cathédrale spatiale de 240 mètres de long, 190 de large et 50 de haut, construite en seulement deux années, de 1964 à 1966, pour l'assemblage de la gigantesque fusée *N1*, puis convertie et aménagée pour celui du lanceur *Energia* et de la navette *Bourane*. Bluffant ! Dans le hall, les reliques de ce que l'Union soviétique a fait de mieux pour ravir aux États-Unis la première place dans le domaine spatial et effacer des mémoires son échec lunaire. Au sol, un énorme réservoir de 8 mètres de diamètre pesant 40 tonnes sur lequel, comme chez les Américains, était juchée la navette russe. Plus loin, quatre fusées inachevées. Un peu plus loin encore, les trois navettes *Bourane* attendant qu'on leur redonne vie, alors que la seule à avoir volé, le 15 novembre 1988, est livrée aux intempéries extérieures. Et sinon ? Pas un chat ! Personne, hormis un compagnon qui dut travailler ici avec près de trois mille autres techniciens ! Ses sanglots dans la voix firent qu'on ne put rien lui demander de plus. En quittant ce sanctuaire de l'espace soviétique, on est à la fois admiratif et abattu. Admiratif des performances technologiques réalisées, de l'imagination des concepteurs, qui n'avaient pas les moyens de la NASA, du courage de ces milliers d'ouvriers, de techniciens, d'ingénieurs, qui ont bâti ces installations gigantesques en pleine steppe… Abattu par l'énorme gâchis que cela a représenté lorsque tout a été abandonné. Espérons que la Russie finira au moins par transformer ces installations en musée…

Après cette « séquence nostalgie », le colonel Gorbounov me ramène à la case départ, à Leninsk, où je prends l'avion pour Arkalik afin d'assister au retour sur Terre de Claudie Haigneré. Une routine pour les Russes, mais pas pour moi. Apercevoir dans le ciel l'immense corolle de 1 000 m^2 du parachute blanc et orange freinant l'atterrissage de la petite capsule reste un moment d'intense émotion. On a peine à imaginer que, six heures plus tôt, les trois êtres humains coincés à l'intérieur volaient à 28 000 kilomètres-heure, à près de 300 kilomètres au-dessus de nos têtes !

Puisque TF1 voulait marquer le coup en « jouant le direct », le bureau de Moscou avait loué un hélicoptère M8 pour transporter la station satellite, les techniciens et notre équipe. Au petit matin, sur le tarmac, nous faisons face à la horde habituelle des moyens russes : deux énormes hélicoptères et une nuée d'autres, plus petits, les classiques M8 de l'Armée rouge. Le nôtre est bien là. Flambant neuf, couleur jaune sable tranchant sur le kaki. Flambant neuf, ou plutôt, comme je le découvre en touchant la carrosserie, fraîchement repeint durant la nuit. Pour une grosse poignée de dollars, les militaires avaient flairé la bonne affaire et restitué momentanément l'un de leurs appareils à la vie civile. Qu'à cela ne tienne, il faut assurer la mission ! Sur l'ordre d'un haut gradé, l'armada se met en route. L'un après l'autre, les engins décollent et partent à la rencontre de la capsule qui a déjà amorcé sa descente. Notre hélico ferme la marche... Dans le poste de pilotage, cinq militaires, rien de moins que cela. Au bout d'une demi-heure, l'un d'eux se lève de son siège, direction le réservoir de carburant qui occupe le côté gauche de l'habitacle. Et le voilà qui tapote du doigt sur un manomètre. Je comprends vite qu'il s'agit de la jauge de carburant. Une discussion s'engage dans le poste de pilotage. Nouveau coup d'œil à la jauge ; on me fait comprendre qu'il faut se poser de toute urgence, faute de carburant ! « C'est un gag, me dis-je. Ils n'ont pas fait le plein ! » Je me vois déjà faire de l'auto-stop – ou plutôt de l'hélico-stop – au milieu de la steppe kazakhe tandis que, à Paris, on se demande où se trouve l'équipe de TF1. Sauf miracle, le direct semble mal engagé... Et le miracle a lieu. Il prend la forme d'un camion-citerne couleur kaki arrivé là comme par hasard ou, plus sûrement, par l'odeur des dollars alléché. Palabres. Coup de gueule du pilote, qui demande à voir la qualité du carburant (entre loups, on se méfie !). Et, comme à l'époque des débuts de l'Aéropostale, il sort d'une poche un dosimètre pour vérifier que le kérosène n'a pas été coupé avec de l'eau... « OK ! » dit le pilote, en m'incitant à passer à la caisse. De la main à la main, sans facture, bien entendu... À cet instant, j'imagine la tête du comptable de TF1 quand je lui annoncerai que j'ai dû payer quelques centaines de dollars (une fortune pour l'époque) pour faire le plein d'un hélico russe, pourtant compris dans le montant de la location !

Toujours est-il que, rempli à ras bord, notre M8 repart en direction du point d'arrivée de la capsule *Soyouz*. On rattrape le groupe de récupération, qui décrit alors de grands cercles. Dans les postes de pilotage, c'est à qui verra le premier l'immense parachute se déployer à 7 000 mètres d'altitude. Il y a, paraît-il, une prime en jeu… « La voilà ! » me désigne du doigt l'interprète. Tournoyant sur elle-même, la petite capsule se rapproche du sol. À environ 1 kilomètre d'altitude, le bouclier thermique est éjecté. Une seconde avant l'impact, un détecteur à rayons gamma déclenche six rétrofusées, ce qui a pour effet de réduire la vitesse d'impact de 6 à 3,5 mètres par seconde. En clair, on passe en une fraction de seconde de 22 à 12 kilomètres-heure. Depuis l'hélico, on voit nettement le nuage de poussière soulevé. Malgré la décélération, le choc est rude – « C'était viril ! » dira plus tard Claudie. Pour l'atténuer, les Russes ont doté les sièges des cosmonautes d'un amortisseur doublé d'un énorme ressort-spirale réglé pour le poids de chaque passager. Malheureusement, une légère brise s'est invitée et a entraîné la cabine vers une petite mare ! Pour qui a assisté au retour de la navette spatiale américaine, qui se pose comme un avion sur une piste, celui-ci semble archaïque… « Mais c'est du sûr », disent en chœur les spécialistes. La preuve, les prochaines capsules spatiales reviendront à cette technique de retour sur Terre. Pendant ce temps-là, les deux gros hélicoptères se posent à proximité de la capsule. Tandis qu'une équipe ouvre la porte du sas, une autre monte la tente médicale. Chacun connaît son travail. Un à un, les trois cosmonautes sont extraits du *Soyouz*. Extraits, c'est bien le mot tant le sas de sortie est exigu. Soudain, stupeur. Surgissant de nulle part, un groupe de cavaliers kazakhs commence à se servir, ou plutôt, pour rester poli, se met à collecter des souvenirs. L'un dévisse une antenne du *Soyouz*, un autre s'empare d'un sac contenant des expériences scientifiques… J'assiste, ahuri, à ce pillage. Venu sur place accueillir sa femme, Jean-Pierre Haigneré s'égosille et tente d'attirer l'attention des équipes de récupération russes. Il est même à deux doigts d'en venir aux mains avec l'un de ces étranges visiteurs. *« Nitchevo ! »* me dit un Russe – « cela n'a pas d'importance ! » Et de poursuivre : « On va récupérer tout cela demain matin, au marché local d'Arkalik, contre quelques dollars ! » Hormis cette petite fantasia kazakhe, la récupération des cosmonautes s'est passée sans heurts. Conformément à la procédure, Claudie et ses compagnons ont été retrouvés moins de trente minutes après l'ouverture des parachutes. Ce qui n'a pas toujours été le cas dans l'histoire de l'astronautique soviétique.

Ainsi le 5 avril 1975, un incident s'était produit quatre minutes et vingt et une secondes après le lancement de *Soyouz 18a*, qui emportait à son bord deux cosmonautes, Vassili Lazarev et Oleg Makarov, en route pour la station *Saliout 4*. Le lanceur devenu incontrôlable, le système de largage automatique s'était enclenché. La vitesse de satellisation n'ayant pas été atteinte, la capsule *Soyouz* effectua alors un vol balistique de rentrée dans l'atmosphère durant lequel les deux cosmonautes durent encaisser 20 G, c'est-à-dire vingt fois l'accélération de la pesanteur terrestre, que l'on a baptisée « G ». En résumé, ils pesaient vingt fois leur propre poids ! Le calvaire des deux hommes n'était pourtant pas terminé. Non pilotée, la capsule atterrit dans les monts Altaïr, à 1 570 kilomètres de Baïkonour, le long de la frontière chinoise. Enfin, atterrit est un bien grand mot… Elle resta accrochée par son parachute à un sapin, au bord d'un précipice de 500 à 600 mètres de profondeur. Les deux cosmonautes durent attendre jusqu'au lendemain qu'un hélicoptère vienne les récupérer. Quant à Vyacheslav Zudov et Valeri Rojdestvenski, leur mésaventure ne fut guère plus enviable. Le 14 octobre 1976, leur *Soyouz 23* ne réussit pas à s'amarrer à la station *Saliout 5*. Retour d'urgence sur Terre, mais de nuit. Hélas ! le *Soyouz* amerrit sur le lac Tengiz, à moitié gelé. Sous le choc, la glace se rompit et la capsule, entraînée par son parachute, se retourna. Les deux cosmonautes, toujours attachés à leurs sièges, restèrent la tête en bas une douzaine d'heures par une température de – 20 °C.

Pour ce qui est du *Soyouz TM 24*, et de Valeri Korzun, Aleksandr Kaleri et Claudie Haigneré, le retour, un peu rude, a été nominal, comme on dit dans le jargon technique. En clair : tout s'est passé comme prévu. Assis sur trois fauteuils, leurs organismes se réadaptent à la pesanteur sous le contrôle des médecins russes et du médecin du CNES, Bernard Comet. Si les deux Russes paraissent éprouvés après leur séjour de six mois et onze jours à bord de *Mir*, Claudie, souriante, tient debout toute seule et m'accorde sa première interview. Bingo !

La suite, c'est le retour à Arkalik en hélicoptère, pendant qu'un autre hélitreuille la capsule. Sur le tarmac nous attend une petite réception, avec la traditionnelle offrande kazakhe du pain et du sel. Transformé en hôpital volant, un énorme Tupolev 154, le triréacteur russe, attend sagement. Il doit ramener à la Cité des étoiles les cosmonautes, l'équipe médicale, les techniciens affectés à la réparation, les résultats des expériences scientifiques et quelques officiels. Un seul journaliste est autorisé à bord : mon ami Sergueï Slipchenko. Je n'oublierai jamais son geste. Se dirigeant vers moi, Sergueï m'offre sa place à bord pour accompagner Claudie. Cela ne se refuse pas ! Après tout, c'est un vol franco-soviétique.

À bord, au fond de la carlingue, des sièges pour les techniciens et un salon avec tables et fauteuils pour les cosmonautes. Des couchettes, un cabinet médical pour réaliser quelques mesures et, si nécessaire, des prises de sang. Une équipe de médecins en blouses blanches est prête à intervenir en cas de malaise. À l'avant, une grande table couverte de vivres et de boissons pour le réconfort, ainsi que le sempiternel carré des officiers avec petits rideaux aux hublots. Et c'est ainsi qu'avant tous mes confrères j'ai pu réaliser la première interview en longueur de notre astronaute, couronnée par un toast au champagne : un magnum que m'avait confié Michel Drappier et que j'avais dissimulé dans mes bagages. Il n'y était pas seul. Connaissant le rituel, j'avais anticipé le scénario et emporté avec moi quelques boîtes de pâté et un liquide anisé, bien français, pour arroser le tout. Autant dire que durant les quatre heures de vol, l'équipe de récupération a largement fêté le succès de la mission. Médecins, infirmiers et techniciens chantaient à tue-tête à l'arrière de l'avion. Arrivés à l'aéroport de la Cité des étoiles, ils furent les premiers à descendre de l'échelle, certains soutenus par les copains, non pas en raison d'un long séjour dans l'espace mais pour avoir trop goûté au pastis sans eau... Tant et si bien que l'un de mes confrères de la télévision nationale, qui attendait sur le tarmac la sortie de Claudie, a confondu un médecin russe avec l'un des cosmonautes. Vu de loin, tous les deux avaient les jambes flageolantes...

« BILLY BOB » M'APPREND À FAIRE DES RENDEZ-VOUS...

Bringuebalé entre la rigueur des frimas moscovites et la chaleur parfois étouffante des étés texans ou floridiens, un bon journaliste spatial se doit de disposer – en plus d'un béret basque – d'une sacrée garde-robe. Ce 14 novembre 1994, à Ellington, à mi-chemin entre Houston et l'océan Atlantique, une veste légère suffit. Sur le tarmac d'un petit aéroport utilisé par la NASA, nous attendons l'arrivée d'un jet. À bord, les membres de l'équipage du vol STS 66 de la navette *Atlantis*. Après onze jours dans l'espace, les six hommes et femmes se sont posés le matin même, à Edwards, en Californie, un ouragan sur la Floride empêchant d'utiliser la piste habituelle de cap Canaveral.

Aux États-Unis, l'événement passe presque inaperçu. Il faut dire que treize années – et soixante-cinq missions spatiales – se sont écoulées depuis le premier vol de *Columbia*, le 12 avril 1981. Pour les Français, en revanche, il en va tout autrement. À bord d'*Atlantis* se trouve l'un de nos représentants,

Jean-François Clervoy. S'il n'est pas le premier Français à voler à bord d'une navette, les événements de ce genre ne sont malgré tout pas si fréquents. On trouve donc pour accueillir l'équipage, côté européen, Daria Robinson, responsable de la communication des vols habités pour l'ESA, Laurence, l'épouse de Jean-François, qui porte dans ses bras leur fils Romain, et enfin mon inusable confrère Jacques Tiziou, à qui je dois d'avoir organisé cette opération. Les portes du Grumman Gulfstream, l'avion de la NASA, s'ouvrent. Effusions, accolades. Nous restons discrètement en arrière, filmant la scène. Jean-François, tout à la joie de retrouver son fils, le juche sur ses épaules. Puis j'ai droit à la première interview de celui que son équipage avait surnommé « Billy Bob », nom plus simple à prononcer pour des Américains que « Jean-Francwais ». Souriant, enthousiaste, à peine marqué par son séjour en apesanteur, il est comme un enfant dans un magasin de jouets. Différence de taille : le jouet est ici une navette spatiale de 70 tonnes, grande comme un DC9.

Avisant le petit Romain juché sur les épaules de son père, je lui pose la question suivante : « Qu'est-ce que tu veux faire plus tard ? », m'attendant évidemment à ce que, tout à la joie de retrouver son papa auréolé de gloire, il réponde : « Astronaute ! » Eh bien non ! Tout de go, il me répond : « Éboueur ! » Laurence, sa maman, éclate de rire. Rétrospectivement, la suite paraît étonnante. Comme si l'on fêtait un simple retour de vacances, tout ce petit monde se retrouve en famille chez les Clervoy. Alors que vingt-quatre heures plus tôt, Jean-François effectuait l'une des cent soixante-quinze rotations de la mission autour de la Terre… Attroupement. Les voisins, qui ont suivi le vol à la télévision, lui font une haie d'honneur. Je fais partie des rares privilégiés à goûter ces moments de la vie d'un astronaute. Un invité n'arrivant jamais les mains vides, j'apporte saucisson, camembert et une bouteille de bordeaux. Jean-François s'en souviendra longtemps... Un premier repas terrestre bien français !

Cette initiative allait nous jouer des tours. Qui a voyagé aux États-Unis sait que l'importation de fruits, de légumes, de viande ou de produits laitiers est interdite. Pour déjouer le flair des chiens de douane, nous avions soigneusement emballé le camembert et le saucisson, puis dissimulé le tout dans le sac en toile servant au transport du pied de caméra. Arrivé à l'aéroport de Houston, il a suffi au cameraman de récupérer le sac sur le tourniquet à bagages et de le porter sur son épaule, hors de portée du flair des chiens. Mais nous n'avions pas pensé qu'au retour, le sac, imprégné de l'odeur du camembert et du saucisson, allait éveiller l'attention d'un chien antidrogue. La suite est sans surprise : fouille minutieuse et mise en lambeaux du pauvre sac. En vain. Pourtant l'animal ne cesse d'aboyer. Rayons X. Toujours rien. Conclusion des douaniers, à un moment ou à un autre, le sac a dû servir au transport de... stupéfiants ! De retour à l'aéroport Charles-de-Gaulle, à Paris, bien entendu, le sac manque à l'appel. Déclaration de perte auprès d'Air France... Quelques jours plus tard, TF1 reçoit une convocation des douanes de l'aéroport à des fins d'interrogatoire. Sur le bureau du douanier français, expédié depuis les États-Unis par ses collègues américains, le sac noir de la caméra, totalement décousu, et le pied de caméra. L'affaire en restera là après quelques explications bon enfant. Juré, on ne m'y reprendra plus !

À son retour en France, j'invite Jean-François Clervoy à participer au journal de 20 heures de PPDA. Avec le talent qu'on lui connaît, il raconte quelques épisodes de son vol, ses sensations, et surtout décrit le spectacle de la Terre qui a défilé sous ses yeux à 28 000 kilomètres-heure. « Je voyais nettement les montagnes, l'Himalaya, les déserts, les îles du Pacifique posées comme des nénuphars sur le bleu de l'océan. » Et d'ajouter : « C'est incroyable ce que l'on peut discerner. J'ai même vu les pyramides d'Égypte ! » Le message n'est pas tombé dans l'oreille d'un sourd : quelques jours plus tard, l'ambassadeur d'Égypte en France invite le couple Clervoy à séjourner dans son pays. L'occasion de voir de près les pyramides entr'aperçues par un hublot de la navette. Avec humour, Laurence conseille alors à son mari de parler du Machu Picchu et des mines de diamants en Afrique du Sud au retour de son prochain vol...

Après cette première, Jean-François reste affecté au corps des astronautes avec, bien sûr, l'espoir de repartir. En 1997, le voilà donc à nouveau à l'entraînement, à Houston, pour préparer son deuxième vol à bord d'*Atlantis*. Au programme : neuf jours de vol, du 15 au 24 mai 1997, avec, en prime, un amarrage avec la station spatiale russe *Mir*. Pour moi aussi, cette nouvelle mission est synonyme de retour au Texas. Profitant des vacances en France de Laurence et de ses deux enfants, qui supportent difficilement le climat chaud et humide de la région, Jean-François me propose de m'installer chez lui durant quelques jours. À charge pour moi de jouer les maîtres de maison : faire la cuisine et, le soir, lui faire réciter ses leçons – entendez par là, la longue liste des procédures avec leur nom et leur acronyme. Pire que les *check-lists* des pilotes de ligne. Mais, pour moi, quelle aubaine ! On peut appliquer à « Billy Bob » le célèbre slogan d'un grand magasin parisien : avec lui, « il se passe toujours quelque chose ». L'esprit perpétuellement en éveil, curieux de tout, il aime à dire : « Je suis une éponge à connaissances. » Lorsqu'il est de repos, ses passe-temps consistent à résoudre des paradoxes mathématiques ou à manipuler un Rubik's Cube. Bref, ce que j'appelle une belle mécanique intellectuelle, qui fait honneur à sa grande école, Polytechnique. Mais une mécanique qui sait garder les pieds sur terre, qui ne perd pas de vue ce bon sens parfois absent chez ses confrères. Une mécanique qui veut comprendre « comment ça marche », et qui, une fois qu'elle a compris, souhaite le partager. Je ne lui serai jamais assez reconnaissant de m'avoir fait découvrir le fonctionnement de la navette, l'art et la manière d'enfiler un scaphandre ou de préparer une sortie dans l'espace... Un jour, dans un coin de l'immense hall de cap Canaveral, vêtu de son scaphandre mais sans casque, Jean-François s'entraîne au maniement des outils qu'il peut être amené à utiliser durant la mission. Il m'explique alors que ces derniers doivent rester attachés par un fil métallique à sa ceinture. Sinon, une fois dans l'espace, la pince ou la clef partiront à la dérive et risqueront de heurter soit la navette elle-même, soit un autre astronaute. Fasciné par ces manipulations qui consistent à ne saisir un outil que lorsqu'on lui a accroché un mousqueton relié par un fil métallique à la ceinture, je lui propose d'enregistrer une séquence pour le journal de TF1.

Premier essai. « Trop riche, trop long, tu veux trop en dire. Ta démonstration doit durer une minute et demie ! » Pour illustrer ma remarque amicale, je me mets à sa place, comme si je devais bricoler en apesanteur. On mesure là le talent et la gentillesse de Jean-François. D'aucuns se seraient offusqués qu'un journaliste se permette de leur donner des leçons. Pas lui. Il réfléchit un instant, se concentre et, du premier coup, me fait une démonstration simple, claire et concise. Le tout en une minute trente. Chapeau l'artiste ! « Billy Bob » est devenu le pédagogue apprécié du public.

Durant ce séjour américain, il y eut d'autres moments inoubliables. Ainsi un soir, il m'invite à un barbecue avec tous les membres de l'équipage du vol STS 84 : le commandant de bord, Charlie Precourt, la copilote, l'étonnante Eileen Marie Collins, un astrophysicien, Ed Lu, Mike Foale, Carlos Noriega et la Russe Elena Kondakova. Au menu : les grillades habituelles, mais aussi du foie gras, des escargots et du camembert, apportés par mes soins, en plus de l'incontournable bouteille de bordeaux... Mais nos goûts diffèrent sensiblement de ceux des Américains. Seuls Ed Lu et Jean-François goûtèrent au foie gras. Ne parlons pas des escargots...

Charlie Precourt est un personnage attachant. Il a séjourné en France pendant deux ans, à l'école de l'Air de Salon-de-Provence. Il parle couramment notre langue et il est proche de Jean-François. Très cool, il aime à dire qu'il ne fait rien à bord, à part s'assurer que tout le monde est heureux. « Je ne travaille que vingt minutes lors de l'atterrissage ! » plaisante-t-il. D'habitude, lors de ce genre de rencontre amicale, on ne tolère pas de présence « étrangère », encore moins celle d'un journaliste. Aux États-Unis, les contacts entre la presse et le corps des astronautes sont sévèrement contrôlés afin d'éviter, disent-ils, toute familiarité. De fait, Charlie, qui connaissait

Michel Chevalet et Yves Mourousi sur le plateau du 13 heures.

ichel Chevalet présente à Eddie Barclay et sa femme Cathy l'installation de réception en direct 'images satelllites.

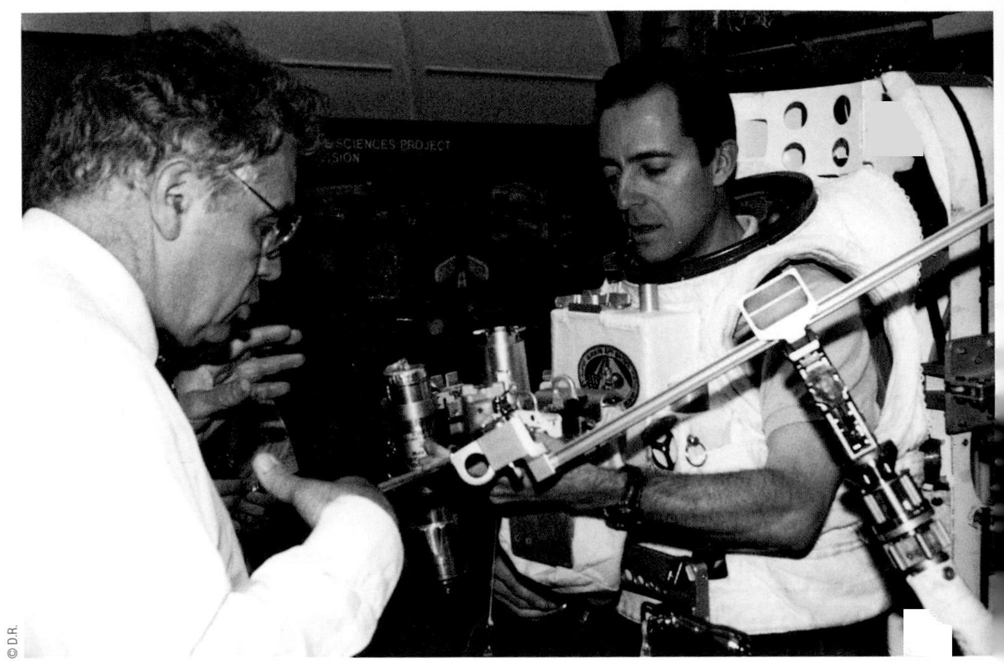

À Houston, Jean-François Clervoy montre à Michel Chevalet les outils utilisés dans l'espace.

Sur le sol de Mars avec la Mars Society, dans le désert de l'Utah.

Cité des étoiles : Michel Chevalet, en compagnie de Claudie Haigneré, a enfilé le scaphandre russe.

ans les steppes du Kazakhstan, en direct sur TF1, le retour sur Terre de Claudie Haigneré, en pleine forme.

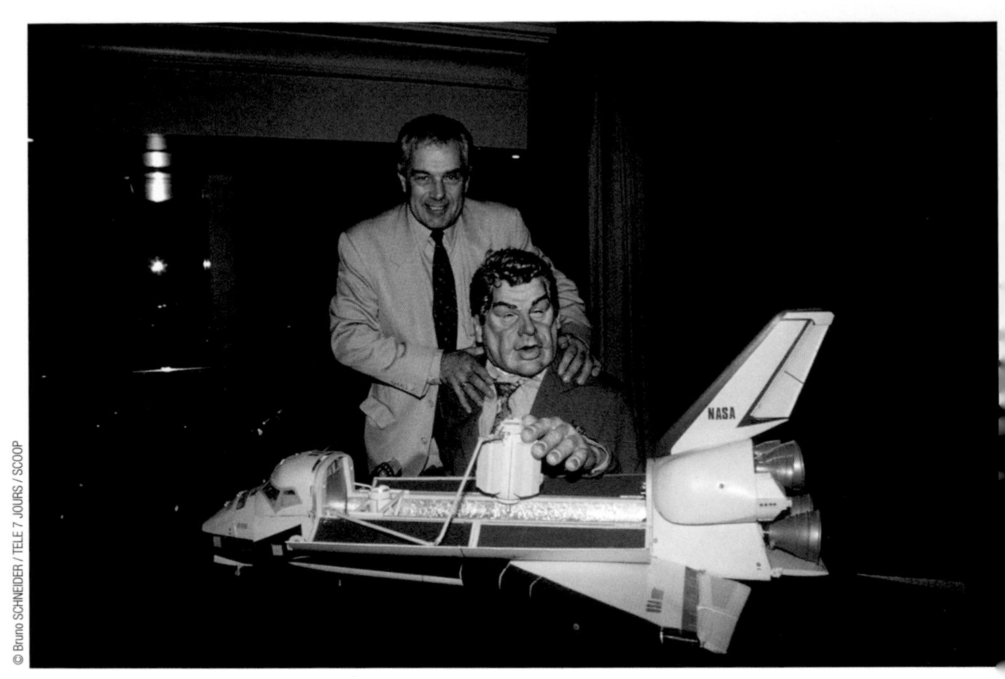

Michel Chevalet et sa marionnette aux Guignols de l'info devant la maquette de la navette spatiale.

Sur le toit de Cognacq-Jay, l'installation de la première station de réception des images du satellite *Meteosat*.

ma position, m'avait donné pour règle la discrétion. Pas de photo, pas de caméra, pas de *off* dans la presse. C'est en respectant cet accord que j'ai non seulement pu passer quelques moments rares avec l'équipage de la navette, mais aussi accéder à certains privilèges. Toujours sympa, Charlie m'avait obtenu un laissez-passer pour assister, un soir, à des séances d'entraînement sur le simulateur de vol. Il s'agissait de répéter dans le bâtiment SES (*Space Environment Simulator*, ou simulateur d'environnement spatial) les manœuvres d'amarrage entre la navette *Atlantis* et la station *Mir*. Jean-François était chargé de contrôler les logiciels de rendez-vous. Pendant le vol, il occupait la position de commandant de la charge utile. Son rôle : superviser les opérations de rendez-vous et d'accostage, ainsi que le déchargement du container installé dans la soute, le Spacehab. Le simulateur représentait fidèlement la partie arrière du poste de pilotage de la navette, où l'on tourne le dos au pare-brise. De ce poste, à travers deux hublots, on a une vue sur la soute pour effectuer des opérations de commande du grand bras télémanipulateur et, cette fois-ci, pour le rendez-vous et l'accostage avec la station russe. Au plafond, deux autres hublots permettent, lorsque la navette vole sur le dos, d'observer le paysage – entendez par là notre planète bleue.

Dans le simulateur, ces hublots sont remplacés par deux écrans de télévision où les ordinateurs reconstituent, en temps réel, la vue qu'ont les astronautes sur l'espace et, dans le cas présent, sur la station *Mir*. À bord, l'illusion est parfaite. Seule différence (et non des moindres) : nous ne flottons pas mais restons debout, les pieds posés sur le plancher. Rompu à ces manœuvres d'approche, Jean-François m'explique la procédure. Je tiens le minimanche de commande de la navette dans la main gauche, voilà qu'apparaît *Mir*, éclairée par le soleil, tel un radeau dérivant dans l'espace sur un fond d'étoiles. Au-dessus de ma tête, le module d'amarrage, côté russe. C'est une sorte de sas allongé, habillé d'orange, ajouté par la NASA lors de la première jonction avec *Mir* pour permettre l'approche de la navette sans risque de collision avec les panneaux solaires de la station. Il est doté de deux colliers d'amarrage, l'un connecté au module *Cristall*, l'autre disponible pour l'accostage d'*Atlantis*. Par petites impulsions sur le minimanche pour allumer les moteurs de translation de l'énorme navette, ce module se rapproche lentement. Sur un écran de télévision, on observe l'image donnée par une caméra, placée dans l'axe du module d'amarrage de la navette, le but étant de suivre l'alignement de la cible placée sur l'autre vaisseau. Seul bruit, l'allumage des petits propulseurs. « Attention, il n'y a pas de frein ! » me rappelle Jean-François. Tout cela fonctionne comme un navire : pour absorber l'énorme énergie cinétique due aux 100 tonnes de la navette, il faut battre en arrière – autrement dit, allumer les propulseurs en sens inverse. Et le faire à temps.

À ma grande surprise, du premier coup, les deux colliers d'amarrage viennent au contact, parfaitement alignés. « Bravo ! » me dit Jean-François. Maintenant, il me reste à verrouiller le *docking*, comme on dit. Un bouton *booste* à enfoncer et les moteurs de la navette donnent un « coup de reins », le temps de bien assurer le contact entre les parties métalliques des colliers et de permettre aux douze verrous de se refermer. « Stop ! » crie l'astronaute. Tout à ma joie de piloter la navette, j'ai poussé trop fort. Dans le vide, il n'y a pas de frottement. Résultat : *Mir* et *Atlantis* sont bien amarrées l'une à l'autre…

sauf que le choc a été violent et que j'ai raccourci de 50 centimètres le module d'amarrage. En un mot, je n'ai pas réalisé un amarrage mais un emboutissage ! La honte… « Heureusement que c'était du virtuel », s'amuse mon professeur.

En dehors de ces instants inoubliables pour un « futur astronaute », Charlie Precourt et Jean-François m'ont invité à une visite privée du simulateur *One-G Trainer* (*One-G* pour dire que l'on reste sur Terre, alors que dans l'espace c'est *Zero Gravity*, *Zero-G*). Dans un immense hangar, une navette grandeur nature dont on a coupé les ailes est posée sur ses trains d'atterrissage. Les portes de la soute sont ouvertes. Le bras télémanipulateur est déplié, attendant qu'on le commande pour saisir une charge. Un escalier permet d'atteindre la porte d'entrée circulaire d'un mètre de diamètre, qui donne accès au *mid-deck*, le pont inférieur. Une petite échelle mène jusqu'au pont supérieur, là où se trouve le poste de pilotage. Que de contorsions ! D'un coup de pied, on gagne le premier étage sans prendre l'échelle. Au rez-de-chaussée, on trouve donc les couchettes, la petite kitchenette pour préparer les repas, et les toilettes. Un morceau de bravoure ! Imaginez un siège, des cale-pieds pour s'immobiliser et éviter de décoller du siège, un entonnoir pour l'urine et un levier sur le côté pour ouvrir une trappe. Comme le dit Jean-François, il faut bien respecter le mode d'emploi et, surtout, l'ordre des opérations, sinon cela peut rapidement tourner à la catastrophe. Je vous laisse imaginer quand tout flotte dans l'espace…

Avant le départ de l'équipage pour l'espace, nous passons la dernière soirée tous ensemble chez Jean-François, pour un repas à la française. Pas question de boire une goutte d'alcool, quarantaine oblige. Avant de nous quitter, nous faisons un tour à Cocoa Beach, dans la boutique Ron Jon, bien connue des surfeurs de la région. Pourquoi ? Parce qu'il y a là un rayon de farces et attrapes avec des déguisements. Et c'est ainsi que tout ce petit monde sort affublé, qui de nattes, qui de coiffures rasta ou de cheveux longs, le tout ponctué de grands fous rires. Et dire que quelques heures plus tard, nous les retrouverons en combinaison de vol... Le lendemain, lorsqu'ils sortent du bâtiment d'intégration pour rejoindre l'astrobus qui doit les mener au pas de tir, je porte mon déguisement, un chapeau duquel sortent de longs cheveux, à la manière d'un hippie. Charlie Precourt, le commandant de bord et Eileen Marie Collins, la copilote, apparaissent en premier. Derrière suivent Jean-François Clervoy, Ed Lu, Mike Foale, Noriega et la Russe Elena Kondakova. Me voyant ainsi déguisé, Charlie et Eileen partent d'un fou rire et me saluent d'un grand geste. J'avais rompu les rites, les procédures officielles, pour donner une dimension et une chaleur humaine à ces vols spatiaux qui, à l'époque, s'enchaînaient dans l'indifférence générale.

Quelques jours après le décollage de la navette, le 15 mai 1997, une interview de Jean-François Clervoy est prévue. Ayant appris par sa femme qu'il appréciait Michel Jonasz et avait emporté l'un de ses albums favoris, *Unis vers l'uni*, j'avais prévu une liaison en direct entre Jean-François et le chanteur, alors en tournée à Nice. Le matin, grâce aux négociations menées par Laurence Clervoy, l'équipage est réveillé par un air de Jonasz et le soir, durant le journal, quelle n'est pas la surprise de notre astronaute lorsqu'il entre en liaison avec son chanteur préféré. « Jean-François, je sais que vous aimez Michel Jonasz. Alors, écoutez bien, vous allez être mis en relation avec lui, dans sa loge, à Nice.

« Michel Jonasz, vous êtes en liaison avec Jean-François Clervoy à bord de la navette *Atlantis*.

– Salut l'astronaute ! Où es-tu ? »

Jean-François lui décrit alors qu'il survole actuellement l'Espagne et qu'il passera au-dessus de la France dans quelques minutes. Il précise qu'il vole à 28 000 kilomètres-heure, autrement dit, qu'il fait un tour de Terre en une heure et demie.

« Eh ! Fais gaffe ! réplique Jonasz en riant, s'il y a des radars là-haut, tu vas te faire gauler ! »

Suivent quelques secondes de silence. Je regarde PPDA. Visiblement, Michel, en attendant la liaison avec la navette, avait dû prendre quelque réconfort… Mais il en fallait plus pour perturber le présentateur qui reprend alors la parole et sauve l'interview.

J'avais donné à Jean-François une petite caméra vidéo afin qu'il tourne un reportage sur la vie à bord de la navette et de la station, et avoir ainsi pour la première fois des images qui changeraient des clichés habituels. Nous n'avons pas été déçus : grâce à ces images, nous avons pu assister à une course de vitesse dans le tunnel de 2 mètres de diamètre qui relie le poste de pilotage de la navette au Spacehab installé dans la soute, dans la partie arrière. Jean-François s'est aussi promené caméra au poing dans la station *Mir*. Tout le monde sommeillait. Tantôt dans un sac de couchage accroché au mur, tantôt recroquevillé en position fœtale sur un amas de sacs de rangement. Au moment où il revient dans la navette, débouchant sur le pont supérieur où Charlie Precourt était de quart, on entend ce dernier dire : « Jean-François, je sais que c'est toi. Tu arrives de chez les Russes. Je le sens… » Explication : en se déplaçant en flottant, Jean-François poussait devant lui une masse d'air en provenance de la station *Mir*. Or il était bien connu que, à cette époque, la station sentait très fort l'humidité, voire carrément le moisi, en raison d'une panne de régulation thermique. Doux euphémisme pour décrire une odeur de cave, voire (cela parlera à tous ceux qui ont fait leur service militaire)… de chambrée.

BIBENDUM DANS L'ESPACE

Tout commence sur le tarmac de la base américaine de Floride en 1997. À l'issue de l'une de ses missions, la navette est en cours de révision, sagement posée sur ses trois trains d'atterrissage. Les techniciens s'affairent autour des parties les plus délicates du gros oiseau blanc. D'abord, ses trois énormes moteurs à hydrogène et oxygène liquides. Situés à l'arrière de l'orbiteur, ce sont eux qui, durant huit minutes et douze secondes sont chargés de le placer en orbite. Ensuite, sa carapace de tuiles noires et blanches, qui lui donne ce faux air de tortue géante. Collées à la main, une à une, venant chacune s'adapter à un emplacement soigneusement numéroté, ces trente mille écailles protègent le vaisseau et son équipage lors de la rentrée dans l'atmosphère. Et, cela ne manque jamais, à chaque retour sur Terre, certaines d'entre elles se détachent et doivent être remplacées. Cruciale, l'opération doit être menée avec soin et précision. Pourtant, ce jour-là, c'est vers une autre partie de l'engin que se porte mon attention. Sous la carlingue, une équipe d'entretien inspecte le train d'atterrissage.

Avec ses trois jambes flanquées chacune de deux roues et d'un gros amortisseur, le dispositif ressemble à celui de n'importe quel avion de ligne. Mais là, en m'y intéressant un peu plus, je fais une petite découverte. Sur le flanc extérieur du pneu, on peut lire l'inscription Goodrich, le nom d'un manufacturier local. Mais en me penchant un peu plus et en jetant un coup d'œil entre les roues jumelées, voilà que sur le flanc intérieur, je déchiffre un nom bien connu : Michelin. Les pneumatiques de la navette sont français ! Mais pourquoi le cacher ? L'explication me sera donnée quelques semaines plus tard : fierté nationale oblige, la navette, symbole de la haute technologie américaine, ne pouvait pas se poser sur des pneus français. Pas de façon trop voyante, du moins. Pour l'équiper, la firme de Clermont-Ferrand dut racheter l'entreprise de pneumatiques américains Goodrich. Michelin devenait Goodrich et Goodrich devenait Michelin. L'honneur était sauf ! Ayant découvert par hasard le subterfuge, j'enregistrai un sujet. L'affaire aurait pu en rester là, mais, en voyant le reportage, le directeur de la communication de Michelin, Jean-Pierre Vuillerme, enthousiasmé, décide d'organiser une rencontre au siège même de l'entreprise. Rendez-vous est donc pris avenue de Breteuil, à Paris, pour un déjeuner de travail en présence du P.-D.G., le sympathique Édouard Michelin, quatrième descendant de la célèbre lignée.

Au cours du repas, Édouard Michelin, ravi de voir ses pneumatiques aller dans l'espace, émet le souhait de se rendre aux États-Unis avec son état-major. Pour l'entreprise, cela représente évidemment un magnifique label, et, avouons-le, une belle page de publicité ! C'est ainsi que nous décidons d'accompagner une petite équipe de cadres de Michelin durant leur tournée américaine. Première étape : le banc d'essai des pneumatiques au centre de recherche de la NASA, à Langley, en Virginie. C'est en répondant à un appel d'offres international que Michelin a été sélectionné. Le cahier des charges stipulait, tout simplement, que la NASA voulait se procurer des pneumatiques capables de supporter les mêmes contraintes que celles d'un Boeing 747. Histoire de brouiller les pistes, sans doute, le document ne faisait aucune référence à l'espace. En dehors du nom du commanditaire, quelques exigences mettaient néanmoins la puce à l'oreille. Ainsi, outre les caractéristiques précitées, les pneus devaient encaisser un atterrissage à 400 kilomètres-heure, porter une charge équivalente à celle d'un engin de génie civil, et résister à des températures extrêmemcnt basses.

Michelin, qui équipait déjà des compagnies aériennes américaines avec ses pneumatiques radiaux ainsi que les avions de chasse F15E de l'US Air Force, remporta haut la main la sélection. S'ensuivit une série de tests à Langley. On pourrait même parler d'une séance de torture : sur le banc d'essai, le pneumatique, fixé sur un chariot, est propulsé par une fusée et projeté à très haute vitesse sur un morceau de piste en béton, avant d'être soumis à un terrible coup de frein. Il faut bien cela pour s'assurer de la résistance de ces pneumatiques, qui doivent pouvoir voler plusieurs fois et être réchappés comme ceux des avions de ligne. Et c'est là que les concurrents américains ont parfois donné des sueurs froides aux astronautes lors des atterrissages sur la piste de cap Canaveral, avec des décollements de la bande de roulement ou, pire, des éclatements.

Après cette première étape, nous jetons un coup d'œil aux bancs d'essai en chambre à vide. Là, les pneus sont soumis à des températures extrêmes : de – 100 °C à + 100 °C. La visite n'aurait pas été complète sans une excursion à cap Canaveral pour voir une vraie navette et, cerise sur le gâteau, assister à un atterrissage sur l'immense piste de 5 kilomètres de long et 65 mètres de large – sans doute le clou du voyage tant l'atterrissage d'une navette est un spectacle sidérant. Impossible de ne pas être bluffé à la vue de cet énorme avion spatial glissant en silence dans les airs. Impossible de ne pas être impressionné par le cran et la maestria de ces pilotes, privés de toute possibilité de remise des gaz en cas de problème, mais qui dirigent en souplesse et sans trembler le vol plané de cet énorme engin sans moteur. Voilà ce que l'on appelle travailler sans filet.

Pour clore le voyage au pays de la NASA, rien de tel qu'un déjeuner à Houston, dans un restaurant cajun tenu par un Canadien parlant le vieux français de la Louisiane. Une espèce de capharnaüm que n'aurait pas renié Sergio Leone et qui aurait pu lui servir de décor pour son film *Il était une fois dans l'Ouest*. Sacré grand écart : à deux pas du Centre spatial de Houston, royaume de la technique du XXe siècle, on se croirait revenu dans l'Amérique profonde de la conquête de l'Ouest, un siècle en arrière… Les astronautes adorent. Ils en ont même fait leur cantine. Et ce jour-là, nous aurons même la surprise et la chance d'y retrouver Jean-Loup Chrétien, Charlie Precourt et une partie de l'équipe du futur vol STS 103, avec Jean-François Clervoy qui sera chargé de saisir le télescope spatial *Hubble*.

De retour à Paris, nouvelle rencontre avec Jean-Pierre Vuillerme. Il est à la recherche d'une idée pour marquer les cent ans du Bibendum, dans le cadre du Salon de l'automobile 1998, le dernier du siècle. « Trouvez-moi quelque chose qui fasse rêver ! Quelque chose d'inédit », me demande-t-il.

Et d'ajouter, malicieux : « Quelque chose qui aura une portée mondiale. » Avait-il une idée en tête ?

Suite à notre voyage à la NASA avec l'équipe de Michelin, je lui proposai un autre « coup spatial », côté russe cette fois-ci. À cette époque, l'ancienne industrie spatiale soviétique est en pleine déconfiture. La chute du mur de Berlin et la fin du régime communiste en 1989, puis l'implosion de l'URSS deux ans plus tard, ont mis à mal son modèle. L'arrivée de Boris Eltsine, premier dirigeant non communiste de Russie depuis 1917, l'a entraîné dans un processus de mutation mal maîtrisé.

C'est qu'on ne passe pas sans heurts d'un système centralisé et planifié à une économie de libre concurrence. Les énormes complexes militaro-industriels de l'ère soviétique sont en partie démantelés. Le spatial n'y échappe pas. On liquide le stock et certaines merveilles sont cédées au plus offrant. La fusée *Proton* passe ainsi sous contrôle américain au sein de la société ILS. Quant au lanceur *Rockot,* dérivé d'un missile stratégique, il tombe dans l'escarcelle allemande. Pourtant, dans cette grande braderie technologique, personne ne semble vouloir mettre la main sur l'antique fusée *Soyouz*. Rendons hommage à Jean-Yves Le Gall, alors P.-D.G. d'Arianespace, pour avoir flairé la bonne affaire et créé la société Starsem afin de commercialiser les services de ce bon vieux lanceur. Quoi qu'il en soit, durant ce moment charnière où un nouveau pays hésite encore à émerger des cendres de l'ancien, l'espace russe est à vendre. Et tout est bon pour se procurer des dollars, à commencer par la publicité.

Comme souvent, ce sont les Américains qui ont ouvert la voie, avec « Coca-Cola Space Can ». En juillet 1985, la célèbre canette rouge et blanche vole à bord de la navette *Challenger* devant les caméras de télévision. Sentant l'aubaine, les Russes n'ont pas tardé à leur emboîter le pas. En 1991, ils installent un « Coca-Cola Space Dispenser » (autrement dit un distributeur automatique de Coca) à bord de la station *Mir*. Voyant cela, Pepsi ne pouvait que répliquer. Pas question de laisser à son principal concurrent le monopole de l'espace ! Résultat, en 1996, la firme débourse 1 million de dollars pour déployer une gigantesque canette en nylon et aluminium à l'intérieur de la station russe. Dans la brèche publicitaire désormais béante s'engouffrent bientôt Pizza Hut, BMW, le lait israélien Tnuva et bien d'autres. Fort heureusement, malgré cette manne de dollars tombée du ciel, la raison finira par l'emporter et la transformation de l'espace en panneau 4 x 3 cessera. Mais, en 1998, c'était encore dans l'air du temps. Voilà pourquoi, fort de mes contacts amicaux avec les autorités russes, je propose à Michelin de lancer son Bibendum à la conquête des étoiles. L'idée : le faire flotter, durant un tour de Terre, à l'extérieur de la station *Mir* et ce, bien sûr, devant une caméra de télévision, l'image étant retransmise en direct. Devinez où ? Sur le stand Michelin au Salon de l'automobile !

Du rêve à la réalité, il y a évidemment plus d'un pas. Un fossé ? Non, un abîme ! Surtout en ex-Union soviétique, où personne ne sait exactement qui décide, qui commande… Un contact est établi avec les autorités spatiales russes, *via* mon homologue Sergueï Slipchenko et le colonel Gorbounov, alors responsable des forces spatiales russes. Pour faciliter les choses, nous nous appuyons également sur le chargé commercial de Michelin à Moscou, qui présente l'avantage de parler la langue.

D'emblée, l'idée séduit, tant du côté de Moscou que de Baïkonour. Après tout, pourquoi moins le bonhomme Michelin que la canette de Coca ? Reste à se mettre d'accord sur le cahier des charges. Dans quel matériau sera fabriqué le Bibendum ? Il doit être ignifugé et ne pas dégager de produits toxiques en cas d'incendie et de dépressurisation brutale. Mais avec quoi sera-t-il gonflé ? Y a-t-il risque d'explosion ? Qui va le gonfler ? Qui va le faire passer par le sas de la station russe ? Où sera attaché le filin qui le retiendra ? Autant de questions auxquelles nous ne pouvons apporter de réponses immédiates.

De réunions téléphoniques en réunions téléphoniques, les choses finissent par avancer. On convient d'abord que des échantillons de matière seront expédiés à Moscou afin de tester le matériau à base de caoutchouc. Et, pour plus de sécurité, les Russes exigent aussi que nous leur expédiions le moule. Enfin, dans le courant du mois de mars, il ne reste plus qu'à organiser à Moscou une réunion avec les représentants de Michelin, des spécialistes de l'espace russe et l'équipage à qui reviendra la tâche de déployer notre mascotte.

À cette époque de l'année, la température à Moscou ne dépasse guère les 25 °C en dessous de zéro. Les grandes avenues sont ponctuées de tas de neige. Pour les voies secondaires, le problème ne se pose pas : pas de déneigement. Bien évidemment, importer un moule en Russie ne va pas sans une montagne de formulaires à remplir... en caractères cyrilliques. Passons sur l'interrogatoire des douaniers de l'aéroport de Moscou dont la suspicion est vite calmée par la présence du colonel Gorbounov. Le plus étonnant est peut-être l'adhésion immédiate de l'équipage du *Soyouz* à la perspective de déployer dans l'espace un bonhomme Michelin. L'idée les amuse et, surtout, l'opération leur permettra de rompre la monotonie des rotations autour de la Terre.

Seule contrainte : ils vont devoir subir un entraînement spécifique à la Cité des étoiles. Équipés de leur scaphandre, ils doivent répéter en piscine l'opération de sortie dans l'espace et procéder au gonflage du bonhomme. Reconnaissons, pour être franc, que la perspective d'une jolie prime en dollars facilite nettement les choses ! Et d'ailleurs, combien a-t-il fallu débourser pour organiser un tel événement ? Le mystère reste entier.

Toujours est-il qu'à l'issue de ce court séjour à Moscou, l'affaire est sur les rails. Pas de problème technique majeur. Les Russes fabriqueront des Bibendum afin de tester leur solidité et leur facilité de gonflage. Un exemplaire sera ensuite acheminé à bord de la station *Mir* par un véhicule de ravitaillement *Progress*. Enfin, le jour de l'ouverture du Salon de l'auto, l'équipage procédera à la sortie dans l'espace du bonhomme Michelin, qui se gonflera automatiquement et restera relié à la station spatiale par un filin.

La veille de notre départ à Moscou pour filmer l'entraînement de l'équipage et la fabrication des premiers exemplaires, une mauvaise nouvelle tombe : la direction de Michelin renonce à l'opération « Bibendum dans l'espace ». La raison ? Des « problèmes sérieux » à l'usine de Clermont-Ferrand. En clair, elle se prépare à annoncer un plan d'économie drastique. Dans ces conditions, pas question d'investir dans une grande opération de communication. Comme nous l'a résumé, avec une pointe d'humour, l'un des acteurs du projet : « Je vois déjà le titre du *Canard enchaîné* : Michelin s'envoie en l'air et les salariés restent à Terre ! » Reste que, ce qui aurait dû être l'opération de communication de l'année marque encore les esprits au sein de la grande entreprise.

LE MUSÉE PRIVÉ DE VASSILI MICHINE

Assis à l'arrière de notre voiture, le petit homme voûté, bouille ronde, cheveux blancs, ne prononce pas un mot. Par la fenêtre, il regarde défiler le paysage moscovite. À quoi peut bien penser Vassili Pavlovitch Michine, tandis que nous le ramenons chez lui ? Se souvient-il de cette époque où il tenait entre ses mains le fleuron de l'astronautique soviétique ? Maudit-il ces hauts dignitaires et ces bureaucrates qui ne lui ont pas donné les moyens de leurs ambitions ? Se remémore-t-il ces années passées à tenter de conquérir la Lune ? Difficile à dire. Peut-être imagine-t-il seulement les exercices qu'il donnera demain à ses élèves, lui qui n'est plus désormais qu'un modeste professeur en techniques spatiales au MAI, l'Institut aérospatial de Moscou.

Quelques heures auparavant, c'est là que nous l'avons rencontré, dans l'un des bâtiments délabrés de l'équivalent de notre SupAéro. Imaginez une école – ou plutôt, une cité, une petite ville –, cernée par de hauts murs. À l'intérieur : dix mille élèves, quatre mille professeurs, et Michine, comme on l'appelle couramment. C'est mon ami Marcel Pouliquen, « l'homme de la propulsion » de la SEP (Société européenne de propulsion), et donc d'*Ariane*, qui a organisé la rencontre. Je l'avais connu à Melun-Villaroche, l'un des sites de la SEP, où il participait à la conception et à la mise au point du moteur à hydrogène et oxygène liquides français, le *HM7* (pour *7* tonnes de poussée). Par la suite il n'eut de cesse de me donner des leçons particulières : sur le fonctionnement des turbopompes, sur les vibrations rencontrées par les moteurs, sur les différents modes de refroidissement de la tuyère... Bref, nous avions tissé une relation d'estime mutuelle qui l'incitait parfois à m'emmener dans ses bagages lors de ses voyages en Russie. Et, cette fois-là, c'était un véritable scoop qu'il me livrait sur un plateau. Plusieurs scoops, même.

Le premier, c'est évidemment Michine. Sous ses airs de grand-père tranquille, celui-ci est une aubaine pour un journaliste : il connaît tout de l'astronautique russe. Avant de se retrouver devant les élèves du MAI, il en a été l'un des hommes clefs, le constructeur général des fusées soviétiques ! À la fin de la Seconde Guerre mondiale, ce spécialiste des systèmes de pilotage faisait partie du groupe d'ingénieurs chargés de ramasser ce qu'il restait du grand programme *V2* des Allemands – à vrai dire pas grand-chose. Passés les premiers, les Américains avaient déjà tout pillé. Pourtant, à partir de quelques débris et de documents retrouvés à Prague, Michine parvient à reconstituer entièrement une fusée *V2*, semblable à celles que les nazis avaient fait pleuvoir sur Londres durant la guerre. Il fait alors la connaissance de Sergueï Korolev, le génie de l'espace soviétique, dont il devient le second.

C'est à Korolev que l'on doit la fusée *Soyouz* et les véhicules habités *Vostok* qui permirent à Gagarine d'effectuer son premier vol autour de la Terre, mais aussi l'ambitieux programme lunaire dont hérite Michine à la mort accidentelle de son mentor, le 14 janvier 1966.

Le deuxième scoop, c'est le programme lunaire soviétique, le fameux *N1L3*. On ignore encore tout, ou presque, de ce qui fut l'un des secrets les mieux gardés de l'Union soviétique. On connaît les grandes lignes, le dessein global, mais les détails n'ont jamais percé. Or me voilà bientôt face à face avec celui qui pilota l'opération. Celui aussi qui perdit l'une des plus formidables courses à laquelle des hommes aient jamais participé : celle qui opposa les États-Unis et l'URSS pour poser le pied sur la Lune. À la décharge de Michine, il faut reconnaître qu'il n'a été aidé ni par le temps ni par les circonstances.

Le temps, d'abord. Quand il succède à Korolev, nous sommes déjà en janvier 1966. Il ne lui reste donc que quatre ans pour relever le défi lancé par le président Kennedy en 1961 : se poser sur la Lune avant la fin de la décennie. Quatre années pour mettre au point la gigantesque fusée lunaire. Quatre années pour concevoir le module qui déposera les cosmonautes sur le sol de notre satellite. Quatre années pour construire, tester et homologuer le matériel. Bref, on l'a compris, Michine court après le temps[27].

Les circonstances, ensuite, ne lui furent guère propices. Disons même qu'elles lui furent franchement défavorables.

---

27. *Pourquoi nous ne sommes pas allés sur la Lune*, op. cit.

Dans cette ruée vers la Lune, les autorités soviétiques avaient tardé à réagir, croyant à un leurre, une manœuvre d'intoxication. Quand elles se décidèrent enfin, après quatre ans d'atermoiement, ce n'est pas un mais deux programmes qu'elles lancèrent parallèlement. Le premier, œuvre du protégé de Khrouchtchev, Vladimir Tchelomeï, prévoyait le survol de la Lune par un équipage de trois cosmonautes à bord d'un *Soyouz* simplifié, le véhicule *Zond*, lancé par la fusée *Proton*. Le second, signé du génial Sergueï Korolev, envisageait l'arrivée sur la Lune d'un seul cosmonaute dans le vaisseau lunaire *LRK*, propulsé par le lanceur *N1*. Cette incapacité à fédérer les moyens et les compétences autour d'un projet commun signa, pour une part, l'échec du projet soviétique.

Le 21 février 1969, la gigantesque fusée lunaire de 105 mètres de haut, 17 mètres de diamètre à la base, pesant 2 700 tonnes et propulsée par trente moteurs développant une poussée record de 4 600 tonnes, décolle de Baïkonour. Soixante-dix secondes plus tard, à 14 kilomètres d'altitude, c'est l'explosion... Les débris retombent sur la plaine kazakhe. Le 3 juillet de la même année, ses concepteurs remettent ça. Nouvel essai, nouvelle catastrophe. La fusée cette fois-ci ne quitte pas le sol et se transforme en boule de feu sur le pas de tir, le détruisant en partie. Nous sommes à quinze jours du décollage d'*Apollo 11*. C'en est fini des espoirs soviétiques de coiffer les Américains sur le fil dans la course à la Lune... Trois ans plus tard, c'en est même fini de l'ambition russe de les rejoindre un jour sur notre satellite. Le 26 juin 1971, puis le 23 novembre 1972, deux nouvelles tentatives de décollage de la fusée *N1* se soldent à leur tour par un échec. Le lanceur est mis au rancart, tout comme son concepteur, Vassili Michine.

Quand les Soviétiques cachent quelque chose sous le tapis, ils ne le font pas à moitié. Cet épisode a beau avoir changé le cours de l'histoire, nous n'en avons eu connaissance que bien plus tard, quand le rideau de fer commença à s'entrouvrir. Entre-temps, le KGB avait reçu l'ordre de tout détruire. Tous les documents, tous les halls d'essais. Et même les deux derniers exemplaires de la *N1*, stockés à Baïkonour. Quelle stupidité ! Imaginez que, comme à Houston aux États-Unis, on ait pu sauver l'un de ces engins. Imaginez ce monstre d'acier couché à l'horizontal sur le gigantesque wagon qui l'acheminait jusqu'à son pas de tir. Un wagon qui, à lui seul, pesait pas loin de 4700 tonnes, tiré par quatre locomotives. Quel spectacle ! Voilà qui aurait pu redorer le blason de l'Union soviétique.

Mais non. Le KGB a préféré faire disparaître les traces de ce cuisant échec. Presque toutes les traces, du moins. Au cours de l'un de mes voyages à Baïkonour, me promenant dans la ville de Leninsk, j'ai retrouvé des morceaux de la fusée *N1*. Un fond de réservoir, une calotte sphérique d'acier inoxydable d'une valeur inestimable, avait été reconverti en bassin, dans lequel s'ébattaient de jeunes Kazakhs. Le revêtement d'un étage de la fusée – un demi-cylindre de plusieurs mètres de diamètre – servait de garage à un réparateur de Lada. Quand on parle de gâchis, ce n'est pas un vain mot.

Lors d'un autre reportage à Baïkonour, un jeune homme s'approcha de moi pour me proposer quelques photos en échange d'une poignée de dollars. Imaginez ma stupeur en examinant les clichés qu'il me tendait. C'étaient les images que tout le monde recherchait, celles de la fusée *N1* en train d'être assemblée dans le MIK, le gigantesque hall d'assemblage de Baïkonour. Ici, sur son pas de tir, prête à décoller. Sur un petit bout de film, on la voit même en train de quitter le sol puis d'exploser... Étant donné la valeur des documents, le trésorier général de TF1 a accepté la note de frais sans broncher.

Nous ne le savions pas encore, mais des reliques comme celle-là, il en existait d'autres. Et voilà le troisième scoop auquel mon ami Marcel Pouliquen m'a permis d'accéder, en organisant cette rencontre avec Vassili Michine, au MAI de Moscou. Ce jour-là s'avance vers moi un petit homme engoncé dans un pardessus, chapeau de feutre sur la tête, le dos voûté comme s'il portait encore le poids de ses échecs sur les épaules. Direction un bâtiment à l'aspect fatigué, abritant une salle de cours, aux faux airs de hangar. À l'intérieur, tableau noir, chaises et tables sagement alignées... Rien ne manque à ce décor aussi scolaire que classique. Simplement, au fond, dans la pénombre, on devine un amas de matériel. Michine se dirige vers ce qui semble n'être, de prime abord, qu'un capharnaüm. Il tend la main, se retourne vers nous et dit en russe : « Voilà, c'est le LRK. » Trois lettres, qui désignent le « composite lunaire », entendez les modules qui doivent permettre de se poser sur la Lune et en redécoller. Incroyable !

Alors que les spécialistes du monde entier recherchent des témoins du programme lunaire russe et que ces mêmes experts commencent à se persuader qu'il ne reste plus rien, tout est là ! Couverts de poussière, dans une salle de cours de la périphérie de Moscou, les vestiges de ce qui fut le « programme *Apollo* russe » servent de matériel pédagogique à des élèves qui n'en mesurent ni la valeur, ni l'importance. Couchés sur le sol, nous découvrons les différentes parties du « composite lunaire ». D'abord, les blocs G et D de la fusée, soit ses deux derniers étages. Si tout avait fonctionné comme prévu, les trois premiers étages – les blocs A, B et C – auraient arraché la fusée à l'attraction terrestre avant d'être largués. Le G aurait ensuite pris la relève pour placer l'engin sur une trajectoire translunaire. Quant au bloc D que nous avions devant nous, il devait assurer la correction de trajectoire vers la Lune, la mise en orbite autour de notre satellite, puis participer au freinage du vaisseau lunaire lors de sa descente vers le sol. Parmi tout le fatras étalé au sol, nous découvrons aussi un petit bloc blanc, propulsif, hérissé de petites tuyères. Son rôle ? Assurer le contrôle d'altitude de ce train spatial, nous explique Michine.

Mais devant nos yeux ébahis, il y a plus intéressant encore : le vaisseau lunaire lui-même, l'équivalent du *LEM* américain. Nom de code : *LK*, pour *Louna Kazabel*. Il est en deux parties, comme le module *Apollo*. D'abord le bloc de descente et de remontée, doté de deux moteurs, dont un de secours. Cette fois-ci, les Russes ont été prévoyants. Il devait se poser sur la Lune avec quatre pieds munis d'amortisseurs. Au-dessus, l'habitacle, une sphère en aluminium équipée d'un hublot pour le pilotage et d'un sas de sortie. Eh oui, il fallait bien que le cosmonaute – le seul à bord, contre deux chez les Américains – descende sur le sol lunaire. Il aurait alors disposé d'une heure et demie pour planter le drapeau, tourner quelques images et ramasser des cailloux devant servir de preuves. L'homme pressenti pour cette mission le devait à son passé auréolé de gloire… et à la petitesse de sa taille. Il s'agissait d'Alexeï Léonov, le premier « piéton de l'espace », à savoir le premier homme à avoir réalisé une sortie extravéhiculaire, le 18 mars 1965.

Une fois sa mission accomplie, Léonov aurait pris place dans l'étage supérieur du *LK*, le module de remontée. Propulsée par un moteur, cette sphère serait venue s'amarrer au module resté en orbite grâce à un système extrêmement astucieux. Voyant cela, Marcel Pouliquen en reste littéralement ébahi : il s'agit d'une simple plaque de métal percée d'une multitude de trous. Il suffisait que le harpon placé à l'avant de la cabine *Zond* se fiche dans n'importe lequel de ces orifices pour solidariser les deux vaisseaux, sans que leur alignement ne soit parfait. Bien entendu, pas de sas pour passer d'un module à un autre, contrairement à ce que pratiquaient les Américains. Une fois accroché, Léonov aurait dû revêtir son scaphandre, ouvrir la porte de l'écoutille, sortir dans l'espace puis passer dans le module qui devait le ramener sur Terre. C'était héroïque. Devant cet ingénieux système, Marcel Pouliquen et moi restions à la fois admiratifs et abasourdis.

Michine m'invite alors à entrer dans la cabine, une boule d'environ 2 mètres de diamètre. À l'intérieur, l'équipement est extrêmement sommaire. Pas de fauteuil. Léonov, le pilote, aurait dû se tenir debout, face au hublot. Devant lui, une sorte de guidon avec deux poignées. L'une pour les gaz, l'autre pour le pilotage. On ne peut pas faire plus simple. Je ne peux m'empêcher de taper quelques coups contre la paroi. Le son mat de l'aluminium résonne. En sortant, un peu plus loin, nous tombons même sur le scaphandre qu'aurait dû porter le cosmonaute. Là encore, la tentation est trop forte. Soulevant la jambe, j'examine l'une des chaussures. Et dire que si tout avait fonctionné cette semelle aurait pu être la première à marquer le sol lunaire de son empreinte…

Pendant que nous le filmons pour TF1, Michine déambule dans cet extraordinaire débarras, entre les vestiges de son programme lunaire. Il bougonne. Je lui demande :

« Pourquoi avez-vous échoué ?

– D'abord, nous avons commencé à travailler quatre ans après les Américains, répond-il. Et puis nous n'avions pas autant d'argent qu'eux. Par exemple, nous n'avons pas pu construire de banc d'essai pour le premier étage de la fusée. Et c'est lui qui, à chaque tentative, a été à l'origine de nos échecs. Les vibrations des moteurs cassaient les conduites d'alimentation, provoquant incendies puis explosion. Il nous a aussi manqué un puissant organisme de supervision et de contrôle comme la NASA, qui rassemblait les meilleurs spécialistes travaillant dans le domaine. »

Puis il ajoute, mi-amer, mi-ironique : « Chez nous, le mot d'ordre de notre glorieux parti communiste c'était : "Allez-y, allez-y, on verra après". En réalité, tout n'était que rivalité et concurrence entre des hommes et des services. »

Manque d'organisation, manque de temps, manque de moyens... La course à la Lune était un programme trop ambitieux pour les Soviétiques. Elle a même fini par marquer le déclin de leur suprématie dans l'espace. Et la fin de la carrière de Michine. Après la série d'échecs de la *N1*, son sort était scellé. Ustinov, alors secrétaire du Comité central du parti, avait décidé de le destituer. Il fallait bien un coupable pour endosser la responsabilité du plus grand échec de l'astronautique soviétique. Michine ne s'en releva pas. En 2001, quelques années après notre visite, il mourut d'une crise cardiaque. Quant à son œuvre, elle a été en partie sauvée : le module lunaire est désormais exposé dans une vitrine du musée du MAI.

L'HOMME QUI FIT ROULER UN JOUET SUR MARS

Ségou, Mali. Un petit village typique de la région sahélienne sur les bords du fleuve Niger. Nous sommes à environ 250 kilomètres au nord-est de Bamako, la capitale. Une bonne demi-journée de route en 4x4. Sur la place du village, à l'ombre d'un baobab, un petit groupe d'écoliers, assis à même le sol, forme un cercle.

Au centre, un colosse de quasi 2 mètres, en habit local. Son nom : Cheikh Modibo Diarra. Il tient dans ses mains un gros jouet : un véhicule reposant sur six roues et supportant un plateau revêtu de panneaux solaires. Son nom ? *Sojourner* – *Rocky*, pour les intimes. Son histoire ? Il a roulé pendant près de trois mois à la surface de la planète Mars. Son concepteur ? Ce géant bambara dont l'histoire fascine les enfants groupés autour de lui. Pour ces petits Maliens, qui n'ont jamais quitté leur village de Ségou, Modibo Diarra est à la fois un extraterrestre et l'image même du sage qui, de village en village, s'en vient narrer des contes et des légendes.

Il faut dire qu'en matière de contes, cet astrophysicien n'a rien à apprendre de personne. Son destin, comme celui de son petit robot, en est un à lui seul. J'ai eu le privilège de l'entendre de sa bouche, chez lui, à Pasadena, en Californie, puis plusieurs autres fois, lors de ses trop rares passages en France.

Il était une fois un Malien, né le 21 avril 1952 à Nioro du Sahel. Le jeune Modibo ne reste pas longtemps dans cette petite commune rurale, à l'ouest du pays, tout près de la frontière mauritanienne. Il passera son enfance à Ségou, sur les bords du Niger, au sein d'une famille polygame de quatre femmes et trois enfants. Fils d'un commis de l'administration coloniale, il est « passé à deux doigts de la catastrophe », aime-t-il à souligner. En juin 1960, il vient à peine de fêter son huitième anniversaire quand son pays accède à l'indépendance, avant de porter au pouvoir un autre Modibo, Keïta de son patronyme. Une fête pour le pays, une catastrophe pour la famille de notre jeune bambara. Trop lié à l'ancienne puissance coloniale, son père est arrêté puis déporté. Confié à sa mère, le jeune garçon s'éloigne un peu des salles de classe, partageant son temps entre l'école, les travaux des champs et divers petits métiers – il vend par exemple des colliers dans les rues.

Pourtant, l'école finit par le rattraper. Interne au lycée technique de Bamako, il y obtient son baccalauréat et une bourse pour venir étudier en France. Le voilà à Paris, à l'Institut Pierre-et-Marie-Curie, puis à l'École centrale, où il étudie les mathématiques, la physique et la mécanique analytique. Seulement, la vie parisienne et ses tentations ont raison de sa volonté, et le jeune homme se met à voyager : Rome, Londres, l'Afrique et, en 1979, New York. « Je ne connaissais que deux langues : le français et le bambara. Et juste deux mots d'anglais, si l'on peut dire… *"I have the grippe… I tousse"* !… » La suite est faite d'hôtels minables, de petits boulots et de sorties nocturnes. Jusqu'à cette rencontre avec un copain, « un gars de Sierra Leone » qui veut s'inscrire à l'université de Harvard, à Washington. La vie de Modibo bascule. « Il m'a demandé de l'accompagner pour l'aider à remplir son dossier. Et du coup, j'en ai également rempli un pour moi. »

Lui qui haïssait cordialement l'Amérique de la ségrégation raciale, le voilà qui intègre l'une de ses universités. « Comparé à la France, le changement était radical : enfin, l'enseignement devenait pratique », raconte-t-il dans un grand éclat de rire. Master, thèse de doctorat sur la mécanique aérospatiale… « C'est grâce à toi et tes maquettes à la télévision que j'ai voulu faire carrière dans ce domaine », m'a-t-il confié un jour.

Et quelle carrière ! De 1984 à 1989, il occupe le poste de professeur assistant à l'université de Harvard, avant de choisir le voyage intersidéral et d'être recruté par le Jet Propulsion Laboratory (JPL), à Pasadena.

Dans cette entreprise, codétenue par la NASA et l'Institut de technologie de Californie (Caltech), il participe aux calculs des trajectoires de différentes missions, qui mèneront les sondes *Magellan* vers Vénus, *Ulysse* vers les pôles du soleil, *Galileo* vers Jupiter et *Mars Observer* vers la planète rouge. « J'aurais aimé revenir en France, travailler au CNES sur les programmes spatiaux, ajoute-t-il. Mais un Bambara ne les intéressait pas ! »

Voilà pourtant l'enfant des plaines africaines, « l'héritier d'une lignée de gros travailleurs de la terre, qui [lui] ont inculqué le culte du travail et l'amour des travaux champêtres » promu au rang de navigateur interplanétaire. Quelques années après son entrée au JPL, il est même nommé responsable de la trajectoire de la future mission *Mars Pathfinder*. Vingt ans après le programme *Viking* de 1976, qui vit pour la première fois deux engins (de petits laboratoires) atterrir en douceur sur le sol martien, cette mission doit marquer le retour de la NASA sur la planète rouge.

Le défi n'a rien de simple car à cette époque, Daniel Goldin, nouvel administrateur de la NASA nommé en 1992, s'est fait l'apôtre d'une nouvelle doctrine : *« Cheaper, Better, Faster ! »* Il faut construire moins cher, mieux et plus vite. Après l'échec cuisant de *Mars Observer*, perdue corps et biens en 1993, l'Agence spatiale américaine ne veut plus investir un milliard de dollars dans une sonde martienne. Surtout, elle n'en a plus les moyens. À défaut d'argent, Daniel Goldin demande à ses équipes de faire preuve d'imagination. Pourquoi par exemple, ne pas utiliser les panneaux solaires de la sonde comme aérofreins, au moment de pénétrer dans la haute atmosphère de Mars ? On économiserait ainsi un moteur de freinage et son carburant.

Même principe au moment de l'atterrissage. Utilisées jusqu'ici pour donner un coup de frein final et se poser délicatement, les rétrofusées présentent deux inconvénients : elles coûtent cher et risquent de ne pas s'allumer au moment décisif. Pourquoi alors ne pas les remplacer par un ensemble de gros ballons qui se gonfleraient à 250 mètres d'altitude et, comme les airbags de nos automobiles, amortiraient le choc ?

Soucieux des deniers publics, Goldin souhaite également associer davantage les Américains aux exploits de la mission martienne de 1997. « Comme ce sont les impôts des contribuables qui paient *Pathfinder*, ceux-ci ont le droit de découvrir chez eux, grâce à Internet, les images de Mars en même temps que les scientifiques », explique-t-il. Voilà des mots qui font plaisir à entendre ! Du coup, au JPL, une section chargée des programmes éducatifs est créée et confiée à Modibo Diarra, qui pourra ainsi diffuser sur Internet de saisissantes images de la planète rouge.

Pour rendre l'espace accessible à chacun, Modibo Diarra ne dispose pas d'un budget illimité. Pour réduire les coûts, il donne sa chance à une nouvelle génération d'étudiants du Caltech, et les charge d'étudier la mise au point d'un petit robot d'à peine 10 kilos, qui sera transporté sur Mars comme passager de la sonde *Pathfinder*. Une fois arrivé à destination, l'engin devra rouler sur le sol poussiéreux de la planète rouge, procéder à des analyses et surtout prendre des images qui seront transmises en direct sur Terre. Un défi et un pari derrière lesquels on retrouve l'esprit pionnier, le goût du risque et de l'aventure qui font la force des États-Unis. « Ou bien *Pathfinder* se pose en douceur, ou bien je suis viré ! » résume ainsi son concepteur.

La suite, on la connaît : trajectoire calculée au plus juste pour économiser le carburant, freinage dans la haute atmosphère grâce aux panneaux solaires, rentrée dans l'atmosphère martienne protégé par un bouclier thermique, chute sur le sol de Mars amortie par les airbags... En juillet 1997, le petit rover de 10 kilos, *Sojourner*, roule et nous offre presque en direct des panoramas martiens à couper le souffle !

Montée avec peu de moyens (200 millions de dollars contre près d'1 milliard pour *Viking*), la mission est un incontestable succès. Technologique, d'abord : *Mars Pathfinder* a non seulement démontré qu'il était possible d'atterrir sur Mars sans passer par une mise en orbite préalable, mais il a aussi validé l'utilisation des airbags. Surtout, la sonde a survécu à l'atmosphère glaciale de la planète bien au-delà des objectifs initiaux.

Avant le départ, la durée de vie du module « d'atterrissage » était estimée à trente jours, celle du robot *Sojourner* à environ une semaine. Et ils ont tous les deux communiqué avec la Terre pendant trois mois ! Une longévité qui a permis d'immenses avancées scientifiques. Au total, plus de seize mille cinq cents photographies ont été transmises aux équipes restées au sol. Explorant environ 250 mètres carrés de la surface martienne, *Sojourner* a envoyé à lui seul plus de cinq cents clichés, auxquels s'ajoutent une quinzaine d'analyses chimiques des roches et de précieuses informations sur les vents et les conditions climatiques locales. Ensuite, *Pathfinder* s'est révélé un formidable coup médiatique. Le jour de l'atterrissage de la sonde – un 4 juillet, la fête nationale américaine – le site officiel de la NASA enregistre quarante-sept millions de connexions. À la fin de la mission, près de six cents millions d'internautes seront venus y prendre des nouvelles de *Pathfinder*. Ce qui, à l'époque, en fait l'un des événements les plus suivis de l'histoire d'Internet.

Le coup de poker a payé et Modibo Diarra devient bientôt aussi célèbre que son robot martien. Ted Turner, le patron de la très puissante chaîne d'information américaine CNN, veut même le rencontrer pour l'embaucher. En France, en revanche, la télévision refuse de le recevoir en direct dans le journal de 20 heures… Cherchez l'erreur… Il faut dire que, au moment de l'arrivée de *Pathfinder* sur Mars, aucune télévision française n'avait fait le déplacement au JPL. « Cela ne passionne pas les foules. On ne verra rien ! » avait tranché le directeur de l'Information de TF1…

Ce manque de curiosité généralisé ne m'empêche pas de nouer le contact avec Modibo, prélude à une longue amitié.

Je me souviens notamment l'avoir retrouvé une fois chez lui, en Californie. Une petite maison américaine en bois au milieu d'un jardinet, une balançoire pour les enfants et, bien sûr, l'incontournable BBQ américain – à gaz, forcément, le charbon de bois étant interdit dans la région en raison des risques d'incendie. Comme Cheikh partait tôt le matin à son bureau du JPL, j'en profitais pour faire la maintenance dans la maison. Car on a beau avoir été le navigateur de *Pathfinder*, on peut ne pas savoir changer les brûleurs d'un barbecue à gaz...

Au cours de ce séjour, il me confiera son souhait de transformer son rêve américain en rêve africain. Partir de rien, se hisser aux plus hauts sommets et revenir parmi les siens pour leur servir d'exemple. Devenu l'ancien qui raconte, il explique : « Mon cœur est au bord du fleuve Niger. C'est un coin de la planète où il y a beaucoup de choses à faire. Je veux jeter un pont entre le JPL, où l'on vit vingt-cinq ans en avance avec la tête dans les étoiles, et le Mali, où l'on reste cent ans en arrière. »

En vivant son aventure américaine, Cheikh n'a rien oublié de ses origines. Le gamin de Ségou n'a jamais coupé les ponts avec son pays natal et revient souvent au Mali. Je le revois, sur la place du village, extirpant de l'une de ses valises la reproduction fidèle de *Rocky*, le petit rover martien. J'aimais l'y retrouver, l'écouter, regarder les yeux des enfants fascinés par cet extraterrestre qui, pour eux, descendait directement de Mars avec son robot-jouet. Voir ces enfants démunis faire rouler *Sojourner* dans le sable comme sur le sol martien, deviner leurs rêves d'espace et d'ailleurs...

Lors de ses visites, Cheikh n'oubliait personne. Pour les enfants, l'espace, ses histoires et son exemple ; pour les plus grands, de vieux tracteurs dénichés en France avec leur lot de pièces détachées. Des engins solides, simples à réparer et à entretenir. Les Massey, Farmall et autres Fordson, ces « petits-gris » qui ont sillonné nos champs juste après la dernière guerre, font désormais, grâce à lui, le bonheur de cultivateurs maliens.

En 1999, Cheikh obtient de la NASA la possibilité de travailler à mi-temps. Il crée la Fondation Pathfinder, pour l'éducation et le développement. En 2003, il rentre au Mali et s'implique dans la recherche sur l'énergie solaire, tout en s'engageant dans le combat pour la réduction de la fracture numérique.

Trois ans plus tard, il est nommé à la tête de Microsoft Afrique. « Une opportunité que je ne pouvais pas laisser passer », me confie-t-il lors d'un déjeuner organisé durant l'un de ses passages à Paris.

Malheureusement, la politique a rattrapé Cheikh. En 2012, il est nommé Premier ministre du Mali afin de mener un gouvernement d'union nationale de transition. Huit mois plus tard, il est arrêté et emprisonné par les putschistes qui l'obligent à donner sa démission. Pour cet homme exceptionnel qui a concrétisé son rêve d'aller visiter les étoiles, le retour sur Terre s'est avéré brutal.

COMMENT J'AI FAILLI DEVENIR ASTRONAUTE

Pourquoi les astronautes apparaissent-ils bouffis à la télévision ? L'explication est simple. Dans l'espace, l'absence de pesanteur bouleverse l'équilibre de l'organisme. Le sang reflue des membres inférieurs vers l'abdomen, le cou et la tête, qui gonflent. Mais ce n'est pas le seul désagrément qu'ils ont à subir. À cause de ce phénomène, les capteurs de pression sanguine de leur corps, situés pour partie au niveau des carotides, sont trompés. Ils croient à une surtension et donnent l'ordre au cerveau d'évacuer du liquide. Exécution. L'information est transmise au niveau des reins et les astronautes sont alors pris d'une furieuse envie d'uriner. Pour éviter qu'ils se déshydratent, les médecins au sol leur conseillent de boire de l'eau. Au bout de quelques heures, voire un ou deux jours, tout rentre dans l'ordre.

Restent les nausées provoquées par la différence de perception entre les yeux, qui reconnaissent un environnement habituel, équivalent à celui que l'on connaît sur Terre, et l'oreille interne qui ressent les accélérations et les mouvements de tête propres à l'espace. Le cerveau, perdu, reçoit deux informations contradictoires. L'une dit : « Je suis sur Terre » quand l'autre affirme : « Fini la gravité, je flotte ! » Si là-dessus l'astronaute, tout à la joie d'être en orbite, s'amuse à faire des galipettes, le résultat est couru d'avance. D'où les conseils prodigués par les médecins : restez immobile, ne tournez pas la tête trop vite, regardez un point fixe. Si cela ne fonctionne pas, le dernier recours consiste à prendre des médicaments. Il paraît que la scopolamine fonctionne assez bien sur le mal de l'espace (à n'utiliser cependant qu'en cas d'extrême nécessité : cet alcaloïde puissant est aussi réputé pour provoquer amnésies et hallucinations, ce qui n'est pas idéal quand on est enfermé dans une boîte d'une quinzaine de mètres carrés à quelques centaines de kilomètres de la Terre...).

En ce début du mois d'août 1992, l'homme qui apparaît à l'écran n'a pas l'air de souffrir de troubles particuliers. Comme il me le confiera à son retour sur Terre, il n'a pas échappé aux nausées lors des premières heures passées sur *Mir*. Mais là, quelques jours après son arrivée dans la station spatiale russe, il sourit et répond tranquillement aux questions de son interlocuteur. Nous sommes au palais de l'Élysée et François Mitterrand interroge Michel Tognini. Le troisième Français à visiter l'espace a décollé de la base russe de Baïkonour le 27 juillet et doit rester dans la « datcha de l'espace » jusqu'au 10 août pour effectuer différentes expériences scientifiques[28] dans le cadre de la mission *Antarès*.

---

28. Elles portaient notamment sur l'adaptation de l'homme à l'environnement spatial, sur la radiobiologie et la radioprotection et, pour la première fois, sur le comportement des fluides en condition de microgravité.

Ce jour-là, dans le grand salon d'honneur, quelques rangées de sièges, des officiels de l'espace, une poignée de journalistes et deux caméras de télévision. Nous sommes invités par le CNES, pour ce que l'on appelle dans le jargon une « vidéo-transmission avec l'espace ». Autrement dit, une liaison programmée à une heure précise avec *Mir*. Ce n'est pas la première fois qu'un Français profite ainsi de la coopération franco-soviétique pour s'élever au-dessus de la Terre.

Cette fois-ci, pourtant, le contexte est différent : le président a tenu à discuter en direct avec Michel Tognini. Quelques jours plus tôt, alors que le *Soyouz* emportant l'astronaute français et ses deux collègues russes (Sergueï Avdeiev et Anatoli Soloviev) venait de s'arrimer à la station *Mir*, les deux hommes avaient déjà eu l'occasion d'échanger quelques mots. « Vous incarnez pour l'instant l'immense conquête de l'avenir, avait confié le président. La conquête de l'espace, c'est la maîtrise de l'avenir, alors inutile de vous dire que la réussite de ces vols [...] représente une avancée pour l'humanité, si considérable que rien ne doit passer avant cela[29]. »

François Mitterrand – pourtant réputé plus littéraire que scientifique – s'intéressait beaucoup à l'espace. En Russie, il avait assisté à l'un des décollages de Jean-Loup Chrétien. « J'ai encore dans l'oreille le bruit infernal du départ de leur fusée, et dans les yeux les flammes qui se dégageaient partout dans cette plaine de Baïkonour », raconte-t-il quelques années plus tard. Président de la République, il soutenait bien sûr

29. *Les Fils d'Ariane, op. cit.* On retrouve le texte complet de cet entretien sur le site vie-publique.fr. http://discours.vie-publique.fr/notices/927010200.html

le programme *Ariane*, garant de l'indépendance nationale et européenne, mais il développait aussi une vision à plus long terme de notre politique spatiale.

Je me souviens que, lors d'une visite officielle à La Haye, aux Pays-Bas, le 7 février 1984, il avait lancé un vibrant plaidoyer pour la constitution d'une Communauté européenne de l'espace. « Je souhaite que l'Europe soit capable de lancer dans l'espace une station habitée », avait-il affirmé[30]. Une déclaration qui allait à l'encontre de la position du CNES et de sa politique. Politique ? Disons plutôt louvoiements.

Il faut dire que, au début des années 1980, les dirigeants de cette vénérable institution faisaient preuve d'une (très) grande prudence. Deux factions s'affrontaient. D'un côté, les partisans des vols habités. De l'autre, ceux pour qui mettre un homme dans l'espace demeurait un luxe accessible uniquement aux deux Grands, l'URSS et les États-Unis. Pour ceux-là, mieux valait dépenser son argent dans les robots. C'était oublier un peu vite que seul l'homme, avec son cerveau, ses yeux, ses mains, est capable d'improviser et de sortir d'une situation échappant au cadre prévu par les logiciels.

Les exemples de missions sauvées grâce à une intervention humaine foisonnent. Souvenons-nous, par exemple, de *Gemini 8*[31]. Lancée en mars 1966, la capsule rencontra un grave problème de roulis, l'un de ses propulseurs d'altitude restant bloqué à pleine puissance. C'est le sang-froid de Neil Armstrong

30. Dans une allocution donnée à l'issue d'un déjeuner offert par le Conseil des ministres des Pays-Bas. À lire sur http://discours.vie-publique.fr/notices/847030500.html

31. *Dans les coulisses de la conquête spatiale*, *op. cit.*

qui sauva la situation. À la limite de la perte de connaissance, celui qui deviendra trois ans plus tard le premier homme à marcher sur la Lune réussit à ramener sur Terre la capsule tournoyant sur elle-même. Sans la main de l'homme, un sort terrible attendait aussi l'équipage d'*Apollo 13*, en avril 1970. Cette fois encore, seuls le bricolage et l'improvisation lui permirent de rentrer sain et sauf, après l'explosion d'un réservoir d'oxygène. Quant à la mission *Skylab*, la première station spatiale lancée par la NASA en mai 1973, elle était condamnée à la surchauffe en raison de la perte de son revêtement isolant lors de sa mise en orbite. Elle ne dut son salut qu'au déploiement d'une sorte de parasol par un équipage de secours.

Sans compter qu'exclure les hommes, c'était oublier que seule leur présence fait rêver, suscite des émotions et, plus que tout autre chose, offre l'opportunité de rapprocher le grand public de l'aventure spatiale.

Quoi qu'il en soit, la déclaration du président de la République à La Haye avait le mérite de clarifier les choses et de tracer une feuille de route pour les dirigeants du CNES. La France et l'Europe ne devaient pas être absentes de l'aventure spatiale ! Un programme symbolisait notamment cette volonté d'indépendance : *Hermès*. Dès 1977, le CNES avait commencé à réfléchir à un véhicule spatial habité. Avec le projet américain de navette, c'était dans l'air du temps. Pourtant, la France dut militer longtemps avant de faire admettre cette idée à ses partenaires européens. En 1985, c'est chose faite. Lors de la conférence de Rome, les membres de l'Agence spatiale européenne décident de démarrer sa phase préparatoire. La même année, lors du salon du Bourget, le directeur général du CNES, Frédéric d'Allest, annonce tout de go qu'*Hermès* effectuera son premier vol en avril 1994. Stupéfaction[32] !

Après une telle déclaration, l'Europe spatiale se retrouve confrontée à trois défis. Le premier, et le plus aisé à relever, concerne le lanceur. Ce sera la puissante *Ariane 5*. Le deuxième tient à l'échéance. Neuf ans, c'est bien court pour concevoir, construire et rendre opérationnel un tel engin. Or, il faut bien le reconnaître, dans les domaines du vol habité, du retour sur Terre en vol plané comme du déplacement à vitesse hypersonique, la France n'a aucune expérience. Un simple coup d'œil outre-Atlantique suffit à se rendre compte de l'ampleur de la tâche. Avant de se lancer dans leur programme *Navette*, les Américains sont passés par plusieurs étapes : avec la minuscule capsule *Mercury*, ils ont d'abord envoyé un homme dans l'espace. Puis, grâce à *Gemini*, ils ont appris à y effectuer des manœuvres et à y organiser des rendez-vous. Une expérience qui leur permit ensuite d'élaborer *Apollo* et de marcher sur la Lune. Avant, leur formidable capacité industrielle aidant, de pouvoir enfin concevoir la navette. De notre côté, nous en étions bien loin… D'autant plus loin que les hommes du CNES sont alors confrontés à un troisième défi, celui posé par la masse de l'engin. Pourtant, comparées à celles des États-Unis, nos contraintes techniques semblaient bien limitées. Jugez plutôt : alors que les Américains étaient capables d'envoyer dans l'espace une enclume de 70 tonnes, l'Europe se contenterait d'une plume de 22 tonnes. Et encore… La charge alaire (la contrainte pesant sur chaque mètre carré d'aile) ne pouvant dépasser 200 tonnes, les ingénieurs avaient

32. *Les Fils d'Ariane*, *op. cit.*

décrété que le poids de la mininavette ne devrait pas excéder 17 tonnes lors de sa phase de rentrée dans l'atmosphère[33]. En clair : entre son décollage et son atterrissage, *Hermès* devait subir un régime drastique et s'alléger d'au moins 5 tonnes. Pour réussir cette cure d'amaigrissement forcée, l'idée d'un adaptateur éjectable s'est peu à peu imposée. Situé entre *Hermès* et le lanceur *Ariane 5*, ce compartiment conique abriterait les réservoirs de carburant, les piles à combustible, les vivres, les réserves d'air, etc. Et serait largué avant la rentrée dans l'atmosphère. On avait trouvé les 5 tonnes !

Jugeant sans doute tout cela trop facile, l'histoire – disons le sort – se chargea de complexifier un peu les choses. En janvier 1986, la navette américaine *Challenger* explose soixante-treize secondes après son décollage, provoquant la mort de sept astronautes. Stupeur. Effroi. Les Européens veulent éviter de voir un de leurs équipages périr corps et biens en cas d'incident technique. Ils décident donc d'équiper *Hermès* d'une cabine étanche et éjectable qui servirait de véhicule d'évacuation d'urgence. Une préoccupation louable et bien compréhensible mais qui entraîne une surcharge non négligeable que le passage de cinq à trois membres d'équipage ne suffit pas à compenser. Bref, alors même que l'on cherche à l'alléger, *Hermès* s'alourdit de plus en plus. On imagine bien un temps se satisfaire avec trois sièges éjectables, mais le système s'avère impossible à utiliser au-dessus de Mach 2…

Les difficultés techniques, les surcoûts, les réticences d'une Allemagne tout juste réunifiée à financer un projet – il faut le dire – essentiellement français, finissent par sonner

---

33. *In* Michel Bouttier, *Ariane, un rêve, une réalité*, Éditions de Broca, 2011.

le glas d'*Hermès* en 1992. À vouloir se faire aussi grosse que le bœuf américain, la grenouille européenne a explosé en plein vol… De cette malheureuse aventure, il est néanmoins resté quelque chose de positif. En 1985, le CNES avait lancé un appel d'offres pour recruter le corps des spationautes destinés à la future navette européenne. Une « promotion *Hermès* » dans laquelle il puisera pour sélectionner ceux qui, après Jean-Loup Chrétien et Patrick Baudry, partiront un jour dans l'espace. Comme on l'a dit précédemment, ils sont un peu plus de mille à répondre et sept à être sélectionnés. Sept parmi lesquels on trouve Jean-Pierre Haigneré, Claudie Haigneré, Frédéric Patin, Michel Viso et Michel Tognini.

Arrêtons-nous un instant sur le profil de ce dernier. Comme son père était chargé de l'implantation de bureaux d'Air France à l'étranger, notamment en Afrique, notre futur astronaute a baigné très jeune dans le milieu aéronautique. Et si certains enfants peuvent développer une aversion pour l'environnement qui les a vus naître, lui, tout au contraire, en a tiré une double passion : pour l'ingénierie et pour le pilotage. Cherchant à les concilier, il entre à l'École de l'Air, pour en sortir à la fois ingénieur et pilote en 1973. Joli cursus qui lui vaut, après une expérience de pilote de chasse à l'escadre de Cambrai, de devenir commandant d'escadrille en 1979, puis d'être affecté au Centre d'essais en vol de Cazaux avec le grade de colonel. Il intègre ensuite le programme *Hermès* et c'est ainsi que, en août 1986, il est désigné pour être la doublure de Jean-Loup Chrétien pour la mission *Aragatz*, le second vol de ce dernier avec les Soviétiques.

Avec Jean-Loup, Michel prend alors la direction de la Cité des étoiles, à une trentaine de kilomètres de Moscou, pour suivre une formation intensive. Là, il doit apprendre le russe en deux mois, s'initier à la technologie du lanceur et à celles de la capsule *Soyouz* et de la station *Mir*, suivre des entraînements en piscine pour préparer une sortie extravéhiculaire, le tout dans des conditions parfois difficiles. Car si à l'époque le nom de Cité des étoiles faisait rêver, n'oublions pas que nous étions en pleine Guerre froide. Le rideau de fer portait bien son nom. Seuls les membres du Parti vivaient correctement, roulaient en Volga noire et pouvaient acheter – en dollars ! – des produits occidentaux dans quelques boutiques spécialisées. Quelle hypocrisie… « Même à la Cité des étoiles, on manquait de tout », se souvient Michel Tognini. Disons que, pour cette « élite du régime », le minimum était assuré. Les visites étaient peu nombreuses. Le KGB veillait. Il avait l'œil et l'oreille sur tout. Le téléphone portable n'existait pas et les communications avec la France étaient difficiles.

C'est dans cette ambiance morose que, profitant de l'un des rares voyages de presse organisés par le CNES, je pris l'initiative d'améliorer un peu l'ordinaire de Michel Tognini et Jean-Loup Chrétien avec l'aide et la complicité d'Ulysse Gosset. Un dîner d'amis est organisé à son domicile, auquel il convie nos deux astronautes alors à l'entraînement. Comme son bureau et son domicile sont surveillés, les autorités ne nourrissent aucune crainte quant à leur sortie nocturne. Mais un invité n'arrive jamais les mains vides. Noël étant proche, je propose d'apporter une bourriche d'huîtres. Après tout, Jean-Loup était un Breton pur souche et l'odeur du varech lui manquait.

Une bourriche d'huîtres… Quelque chose d'inconnu, ou presque, dans la Russie de l'époque. Côté Air France, bien emballés et rangés en soute, les coquillages arrivent à bon port à l'aéroport de Cheremetievo. La suite est évidemment plus compliquée. Longue file d'attente, contrôle des passeports par un militaire qui ne sait, visiblement, pas lire les caractères latins. Au garde-à-vous, on attend le bruit du tampon, symbole de liberté. Sur le tapis des bagages arrivent, pêle-mêle, les valises, le matériel de la télé (à l'époque, on tournait sur pellicule) et... la fameuse bourriche. C'est là que les choses se gâtent !

Tous les bagages doivent passer aux rayons X, même les huîtres. Je vous laisse imaginer la stupeur du préposé, un militaire, qui voit se dessiner sur son écran une image ne correspondant en rien à ce qu'il a l'habitude de voir... Interjection en russe à laquelle je ne comprends évidemment rien... Sans doute voulait-il demander ce que c'était ? La mécanique policière se met en route. Arrive une délégation, chef galonné en tête. Après tout, me dis-je, le mieux est d'ouvrir le paquet, de sortir la bourriche de son écrin de plastique. Bien mal m'en a pris !

« Niet ! Niet ! » – J'avais compris.

Les Russes aiment bien les palabres. Discussion animée entre eux, avant qu'arrive l'interprète du CNES, Élisabeth Pouchkine (ça ne s'invente pas !). Vive conversation ponctuée de *« Niet ! Niet ! »* Élisabeth, rompue à ce genre d'exercice diplomatique, obtient finalement que je fasse une démonstration de la comestibilité de ces étranges bestioles. Et me voilà transformé en écailler au bout du tapis roulant. J'en ouvre une, la gobe. Élisabeth se prête au rituel, qu'elle ponctue d'un *« Karacho ! »* (« Bien ! »). Puis, c'est au tour du militaire de service. Il regarde l'huître, hésite et, en bon soldat, s'exécute. Sa grimace se termine par un nouveau *« Karacho ! »* Ouf...

J'avais gagné la partie, et les réprimandes du CNES qui manquait singulièrement d'humour. Mais Michel et Jean-Loup se souviennent encore de ce repas breton au cœur de l'hiver moscovite.

Après cet épisode et le vol de Jean-Loup Chrétien en 1988, c'est au tour de Michel Tognini d'enfiler la combinaison d'astronaute titulaire. En 1991, il fait donc son retour à la Cité des étoiles pour se préparer au sein de la mission Antarès. Jean-Pierre Haigneré joue cette fois le rôle de doublure. Pour Michel, il s'agit, en quelque sorte, d'une révision. Les choses sont d'autant plus faciles qu'il possède désormais une parfaite connaissance du russe, qu'il parle à la maison depuis son mariage avec Helena, la frêle et blonde professeure de gymnastique de la Cité des étoiles… Seule différence avec les missions précédentes, la France a payé le prix du billet pour l'espace. Jusqu'alors, il s'agissait plutôt d'échange, de troc, pour des raisons politiques. L'ardoise pour cette petite escapade ? Douze millions de dollars – quatre-vingts millions de francs. Soit le coût de l'entraînement, du vol et de la préparation des douze expériences scientifiques et technologiques.

****

Revenons à l'Élysée. Ce jour-là, quand Michel apparaît sur le grand écran, il est entouré de l'équipage du *Soyouz* qui l'a amené sur *Mir*, ainsi que des deux cosmonautes déjà à bord de la station, Aleksandr Victorenko et Aleksandr Kaleri. Face à eux, le président de la République a l'air visiblement fatigué. On lui a aménagé un bureau, derrière lequel il prend place. Nous sommes une poignée de journalistes. Comme d'habitude dans ce genre de « sport », le CNES a exigé que nous lui soumettions les questions à l'avance. Bien entendu, nous nous sommes pliés à la coutume. C'est l'hypocrisie du système. La langue de bois était souvent de règle à cette époque.

François Mitterrand ouvre le bal avec les sempiternelles questions de circonstance :

« Comment allez-vous ?

– Bien », répond Michel.

Et c'est vrai qu'il semble en pleine forme. Le président enchaîne.

« Que faites-vous dans la station ?

– Je suis là pour réaliser des expériences scientifiques. »

Simple passager du *Soyouz,* Michel Tognini a le titre d'expérimentateur à bord de *Mir*. À lui de mener à bien les dix expériences prévues au programme. Cinq sont d'ordre médical et portent sur les modifications apportées à l'organisme par l'absence de pesanteur. Contrôle du régime cardiaque, échographie par ultrasons du débit des carotides, prélèvements de gouttes de sang… La plupart serviront à mieux connaître ce que l'on sait déjà. Par exemple que l'absence de gravitation perturbe le système neurosensoriel. Elle provoque notamment le rétrécissement du champ visuel et une mauvaise appréciation des distances. Voilà pourquoi, lorsqu'ils se déplacent en flottant dans la station, les cosmonautes placent toujours une main devant eux pour éviter de se cogner aux parois. Michel doit également mesurer les perturbations dans la reconnaissance des formes. À cet effet, il place sur sa tête un masque dans lequel on projette des images qu'il doit reconnaître en appuyant sur un bouton. Enfin, il s'applique à mesurer les rayons cosmiques reçus par la station.

À bord de *Mir*, l'emploi du temps est réglé comme du papier à musique et reste très proche de celui du sol, de façon à assurer une bonne coordination avec les équipes médicales et scientifiques. Généralement, il se répartit ainsi : huit heures de sommeil, huit heures de travail (sauf le dimanche) et les huit heures restantes consacrées au sport, à la préparation des repas et à la rêverie en regardant défiler la Terre par les hublots... Le sport est primordial. En moyenne, les cosmonautes y consacrent au moins deux heures par jour, pendant lesquelles ils font des exercices physiques à l'aide d'un tapis roulant. Sans cela, c'est le syndrome du *chicken legs* assuré : une perte de tonus musculaire qui donne de très élégantes « pattes de poulet ».

Question confort, les équipements sont plutôt rudimentaires. Et encore faut-il qu'ils fonctionnent. Les Russes avaient installé à bord de *Mir* une douche munie d'un aspirateur pour récupérer les gouttelettes d'eau. Hélas, elle était en panne lors du vol de Michel. Comme ses camarades, ce dernier a dû se contenter d'une toilette de chat à l'aide de serviettes imprégnées. Pour le sommeil, pas de couchettes comme dans la navette spatiale, mais des sacs de couchage disposés verticalement et dans lesquels on se glisse. Seuls la tête et les bras dépassent, ceux-ci ayant d'ailleurs une fâcheuse tendance à flotter dès que l'on s'assoupit. Mieux vaut d'ailleurs ne pas avoir le sommeil agité, au risque de se retrouver au plafond de la station et, comme le dit Michel Tognini avec humour, de se prendre pour une chauve-souris.

Après avoir décrit au président ses conditions de vie, Michel entame un couplet politique. Le CNES, dans son souci de tout contrôler, lui a suggéré de plaider la cause des vols habités.

Discipliné, il rappelle donc la nécessité de construire un véritable programme spatial et non pas, comme c'était le cas à l'époque, d'opérer au coup par coup en fonction des opportunités politiques. Le message semble plutôt bien passer.

Pourtant, visiblement fatigué, le président se lève. Alors qu'une interview en longueur, de douze minutes, était prévue, il remercie Michel Tognini :

« Je vous souhaite une bonne mission. »

Il se dirige alors vers moi, assis au premier rang, et me désigne son bureau.

« Vous voulez être à ma place, monsieur Chevalet ? »

Stupéfaction… Je bredouille :

« Non, non, pas à votre place de président… »

Il insiste :

« Ce sont vos amis ?… Vous les connaissez ? Prenez donc ma place ! » (Sous-entendu : poursuivez la vidéotransmission avec Michel Tognini).

L'aubaine d'avoir un peu plus que le temps imparti par le CNES est trop belle. Je m'installe donc derrière le bureau présidentiel, tandis que Michel en profite et nous fait faire le tour du propriétaire… Ayant l'antenne de façon inattendue, je décide d'occuper un maximum le terrain. Certes, derrière, les confrères attendent. Bien sûr, je ne me fais pas que des amis. Mais c'est de bonne guerre. Je reste donc le temps qu'il faut avant de rendre l'antenne à mon ami présentateur, Jean-Claude Narcy. Mission journalistique accomplie. Je rejoins alors au premier rang un petit groupe d'observateurs, composé des représentants du CNES, dont son président, Frédéric d'Allest, du ministre de la Recherche et de la Technologie, Hubert Curien et… de François Mitterrand.

Ce dernier, à ma grande surprise, m'interpelle et me lance :

« Vous aimeriez bien être à sa place, monsieur Chevalet ?

– Bien sûr, monsieur le président ! J'en rêve… »

Il se tourne alors vers Hubert Curien :

« Monsieur le ministre, dit-il sur un ton très révérencieux. Est-ce que notre ami pourrait aller dans l'espace ? »

Interloqué, Hubert Curien me regarde et dit :

« Michel, je pense que vous avez les capacités physiques et intellectuelles du niveau de celles de nos astronautes. Seriez-vous d'accord pour aller là-haut ? »

Je réponds avec enthousiasme : « Oui, oui, oui ! Tout de suite ! »

Amusé, le président interroge son ministre :

« Qu'est-ce qu'il faudra pour lui ?

– Vous savez, monsieur le président, il faudra qu'il suive un entraînement d'un an à la Cité de l'espace avec les autres cosmonautes, futurs candidats français, dont Jean-Pierre Haigneré. Le plus dur sera l'apprentissage intensif de la langue russe qu'il doit parler et – plus compliqué – écrire et lire afin de comprendre les notices techniques rédigées uniquement en russe.

– Cela nous coûtera combien, monsieur le ministre ? demande François Mitterrand.

– Le prix normal d'un passager à bord du *Soyouz*. Quatre-vingts millions de francs.

– Bien. Monsieur le ministre, faites le nécessaire ! »

Hubert Curien se tourne vers moi :

« Michel, vous savez aussi ce qu'il vous reste à faire… »

Puis le président tourne les talons et quitte la salle… Me voilà comme un astronaute au moment d'un décollage de fusée, le cœur à 140 ! S'il n'y avait pas la pesanteur, je crois bien que je flotterais. Le rêve complet… Incroyable !

De retour à TF1, je me précipite pour appeler Patrick Le Lay, le président-directeur général de la chaîne. Il ne répond pas immédiatement. Dans l'après-midi, il finit par me recevoir dans son bureau. Je lui fais part de ma conversation avec le président de la République et de son souhait de me voir partir dans l'espace dans un an. En clair, je lui demande une mise en disponibilité immédiate.

Pas une hésitation de sa part.

« Vous pouvez partir tout de suite ! Ma seule condition c'est que vous me fassiez un direct depuis là-haut et que l'on voie le logo de TF1 en orbite autour de la Terre. »

Et dire que j'aurais pu être le deuxième journaliste à aller dans l'espace… Et le premier à y réaliser un direct. Pour la petite histoire, deux autres confrères avaient auparavant tenté l'expérience. En 1990, une Japonaise, Ryoko Kikuchi, est autorisée à suivre l'entraînement à la fameuse Cité des étoiles en vue d'un séjour à bord de *Mir*. Hélas ! quelques jours avant le lancement, elle est victime d'une crise d'appendicite qui la condamne à rester au sol. Elle cède alors sa place à un autre journaliste japonais, Toyohiro Akiyama. Malheureusement pour lui, il est victime du mal de l'espace et passe presque tout son temps à vomir, recroquevillé dans un coin de la station, incapable de s'exprimer devant une caméra.

La règle veut que, malgré l'entraînement et les tests, un astronaute sur deux soit victime du mal de l'espace… Et la même mésaventure aurait bien pu m'arriver durant mon vol, mais cela valait le coup d'essayer. Malheureusement, la politique s'en est mêlée. Le président était très fatigué et très malade ; la gauche sera battue aux élections législatives de 1993, Hubert Curien quittera alors son poste de ministre de la Recherche et ma mission disparaîtra de l'ordre du jour. Fin d'un beau rêve. Et je suis toujours là, les pieds sur Terre...

LES PREMIERS BULLETINS MÉTÉO

Pour le grand public, l'espace a longtemps été synonyme de rêve, d'exploits, de pionniers. Pour autant, les médias avaient beau en vanter les retombées dans notre vie de tous les jours, « madame Michu », comme on l'appelait dans les rédactions – elle est devenue depuis l'anonyme « ménagère de moins de 50 ans » – ne voyait rien venir. Du rêve à la réalité, il y avait un énorme fossé. Jusqu'au jour où, à la fin du journal télévisé, les spectateurs virent apparaître sur leur écran les photos de la couverture nuageuse, prises depuis l'espace. D'un seul coup, ils découvraient la forme et l'importance des masses nuageuses qui influencent tellement notre quotidien.

Aujourd'hui, on mesure mal quel progrès énorme cela a représenté. Avant les satellites, les météorologistes regardaient le ciel par en dessous, depuis la Terre. Ils n'en avaient qu'une vue partielle, limitée aux mesures effectuées par les stations météo au sol et les quelques navires météo positionnés en pleine mer. Avec le satellite, ils allaient bientôt pouvoir prendre du recul, de la hauteur. Traverser l'atmosphère et sa couche nuageuse pour s'élever à 800, voire 1 000 kilomètres d'altitude. D'un coup d'œil – ou plutôt d'un clic d'appareil photo – une vue globale de notre système nuageux se dévoilait devant eux. Avec plusieurs clics, et donc plusieurs clichés, ils pouvaient même le voir se déplacer, se déformer, naître, vivre et mourir.

Ces premières images sont apparues avec les satellites américains *Tiros*, au début des années 1960. À l'origine, elles étaient réservées aux militaires, à l'aviation civile et aux prévisionnistes – et encore, elles ne concernaient en priorité que le continent américain. Pour disposer de clichés couvrant l'Atlantique nord et l'Ancien Continent, les Européens durent attendre 1977 et le lancement de leur premier satellite, *Meteosat*. Fabriqué dans l'usine de l'Aérospatial de Cannes-Mandelieu, celui-ci présentait l'avantage d'être géostationnaire à 36 0000 kilomètres, c'est-à-dire fixe par rapport à un point de l'équateur.

À cette époque, le cheminement de ces images, de l'espace au téléspectateur, tenait du parcours du combattant : les données satellites étaient reçues à Pleumeur-Bodou, en Bretagne, où était installée la première grande antenne de réception de télévision entre la France et les États-Unis. Depuis ce charmant petit village du Trégor, les images étaient ensuite transmises par bélinographe (une sorte de téléscripteur) au Centre de prévisions de la météorologie française, avenue Rapp, à Paris. Là, elles devenaient une photographie papier que nous autres journalistes allions récupérer.

Par chance, les studios de la télévision étaient situés rue Cognacq-Jay, à 500 mètres du siège de la météo nationale. Mais l'aventure n'était pas terminée… La photographie devait ensuite être agrandie dans le studio-labo de l'ORTF. Pour la rendre compréhensible, nous entourions au crayon-feutre le contour des perturbations des anticyclones et des dépressions, et c'est ce document que nous affichions, à l'antenne, face à une caméra de télévision.

Cela peut vous paraître archaïque et pourtant, quel progrès pour l'époque ! Pour la première fois, le téléspectateur découvrait que les nuages qui passaient au-dessus de sa tête n'étaient qu'une petite partie d'une énorme masse de près de 2500 kilomètres de long, enroulée en spirale, résultant d'un conflit entre de l'air chaud et de l'air froid, appelée « perturbation » par les météorologistes. D'un regard, ils pouvaient en déduire le temps pour les prochaines vingt-quatre heures.

Comme dans nos contrées, à notre latitude, ces perturbations mesurent en moyenne 600 à 800 kilomètres de large et qu'elles se déplacent d'ouest en est à une vitesse de 40 à 60 kilomètres-heure, un rapide calcul vous montrait que le temps changerait au bout d'une dizaine d'heures.

En 1981, Hervé Bourges, le nouveau président de TF1, dans son souci de relooker le JT, me confie la mission de moderniser la présentation des bulletins météo. « Inspirez-vous, me dit-il, de ce que font les Américains et la BBC, en Angleterre. »

Exit, donc, les photos satellites sur papier. Vive la vidéo et, surtout, les images en direct depuis le satellite, l'idée étant de mettre en mouvement les fameuses perturbations, et non plus de se contenter d'un instantané qui remontait, souvent, à plusieurs heures. C'est ainsi que nous avons installé sur le toit de Cognacq-Jay une parabole d'un mètre de diamètre pour capter les images du satellite *Meteosat*.

Restait néanmoins à résoudre un problème de taille : comment mémoriser ces images qui tombaient du ciel toutes les trente minutes et les mettre bout à bout afin de réaliser une animation ? Je rappelle que nous étions en 1981 : le microprocesseur n'avait que 10 ans et le premier micro-ordinateur venait tout juste de sortir des laboratoires d'IBM. Autant dire que mettre en boîte vingt-quatre images représentant douze heures de défilement des perturbations relevait du tour de force technologique. Aujourd'hui cela fait sourire, quand on voit les iPhone qui sont mille fois plus puissants que les premiers PC de l'époque…

C'est en Angleterre que j'ai trouvé l'équipement adéquat, un monstre qui tenait dans une armoire ! Le résultat fut à la hauteur de ce mastodonte et de nos espoirs. Le téléspectateur allait pouvoir suivre quasiment en temps réel le déplacement des masses nuageuses. Mais c'était sans compter avec les tracasseries administratives et les bastions corporatistes qui ont failli faire capoter l'opération.

En effet, dès la réception des premières images par notre antenne, les syndicats de TDF (Télédiffusion de France), qui était à l'époque une filiale de France Télécom chargée de gérer tout ce qui transitait par les ondes hertziennes (radio, télévision et satellite) ont menacé de la démonter. Eh oui : j'allais à l'encontre d'un monopole d'État. Si tout ce qui tombe du ciel est béni, dit le proverbe, c'est de TDF que la réception des photos satellites devait recevoir la bénédiction…

Mais ce n'est pas tout : la Météorologie nationale, apprenant que TF1 recevait directement les photos satellites, brandit, elle aussi, l'argument du monopole. Tout ce qui était météo devait sortir de Météo France et être facturé. Bref, TF1, qui était encore une entreprise du service public, ne pouvait pas innover…

Fort heureusement, Hervé Bourges, en fin diplomate, avait plus d'un tour dans son sac. Jouant de ses relations avec Louis Mexandeau, ministre des PTT, dont dépendait TDF, et Charles Fiterman, ministre des Transports, dont dépendaient l'Aviation civile et Météo France, il parvint à sauver les apparences et obtenir l'autorisation de recevoir, en direct, des photos d'un satellite européen, payé par les contribuables français. Ouf !

Depuis, bien sûr, la qualité des images s'est améliorée. Des logiciels redessinent les perturbations et les animent sur nos écrans, permettant de comprendre tout de suite la situation météo.

Parmi les souvenirs originaux liés à cette nouveauté venue de l'espace m'en vient un de Saint-Tropez, au bout de la plage de Pampelonne, dans la villa du Cap, propriété d'Eddie Barclay. Eddie ne connaissait rien à l'espace, mais il mettait un point d'honneur à montrer à ses prestigieux invités qu'il était au courant des dernières techniques. Ainsi, ayant vu au journal de TF1 mes présentations météo avec leurs images satellites, il se devait d'être le premier à pouvoir les recevoir chez lui, en direct ! Et quand « monsieur Eddie » voulait, on se mettait en quatre pour l'exaucer. Rien de plus simple : une parabole de 2 mètres de diamètre installée près de la piscine – de façon à ce que tout le monde la voie –, un décodeur relié à un vidéo-projecteur dans le salon, et la villa du Cap devint l'attraction médiatique de toute la jet-set !

Le clou étant « l'amiral Kersauson » qui jouait les « monsieur Météo » devant les amis d'Eddie – Johnny, Enrico Macias, Eddy Mitchell, Henri Salvador, André Pousse... On ne pouvait rêver meilleur support médiatique pour l'espace ! Mais les membres du show-biz n'étaient pas les seuls à s'intéresser à cette nouveauté technologique. Les grands capitaines d'industrie, eux aussi, virent rapidement quels avantages ils pouvaient en tirer.

Paris, 7e arrondissement. Yvette Chassagne avait pris l'habitude de réunir chez elle, autour d'un bon dîner, quelques-uns des membres du conseil scientifique de l'UAP, la compagnie d'assurances qu'elle présidait. J'avais l'honneur d'en faire partie. Personnage étonnant, bouillonnant d'idées, accessible pour ses collaborateurs, « Tata », comme l'appelaient certains de ses proches, menait ses troupes à la baguette. Ainsi, lorsqu'un conseiller se lançait dans un exposé trop nébuleux, elle sortait de son sac des aiguilles et de la laine et se mettait tout bonnement à tricoter, lâchant à la ronde : « Je vous écoute. Continuez. » La vue du tricot posé sur la table avait plus d'effet qu'une pendule. On savait qu'il fallait abréger !

Soucieuse de son temps, Yvette Chassagne l'était aussi des comptes de sa société, la plus grande compagnie d'assurances française. Elle savait ce que lui coûtaient les aléas climatiques : les inondations, les intempéries, la grêle... Aussi s'intéressait-elle de près à tout ce qui pouvait améliorer les informations météo. Fascinée par les images satellites, elle rêvait de les mettre à la disposition des cabinets d'assurances, des coopératives agricoles, des capitaineries de port, des services de secours, comme cela commençait à se faire aux États-Unis. Elle me demanda d'étudier la faisabilité d'un tel équipement. Mais, au préalable, elle cherchait un « coup médiatique », comme elle disait, pour « amorcer la pompe » et que ses collaborateurs comprennent l'intérêt de l'investissement. Comme l'UAP était l'un des assureurs du Paris-Dakar, elle me chargea de mettre sur pied la « météo du Dakar ». Certes, il n'y a pas de nuages dans le Sahara à cette époque et les seuls éléments à redouter sont les vents de sable et le front intertropical, cette convergence de masses d'air chaud et humide provenant des tropiques que le marin appelle le « pot au noir », et que nous allions rencontrer en arrivant au Sénégal.

Un rendez-vous est donc pris avec l'équipe du Paris-Dakar et son patron, Thierry Sabine. Tout de suite, l'ancien pilote devenu organisateur de courses à succès est séduit par l'idée. Selon lui, disposer le soir au bivouac des prévisions météo pour l'étape du lendemain apporte un vrai plus en termes de sécurité.

Deux problèmes restaient à résoudre. Le premier, trouver un prévisionniste spécialiste de la météo dans ces régions. Ce fut mon ami de la Météorologie nationale, Georges Dhonneur, grand spécialiste des régions tropicales. Le second, dénicher une station de réception transportable par avion, d'étape en étape. Là encore, nous fîmes preuve d'imagination, en dégotant le moyen de transport idéal : un antique DC3 de la Seconde Guerre mondiale, capable d'embarquer les quelques tonnes que représentaient l'antenne satellite, le bloc électronique et le groupe électrogène. En outre, ce bon vieux coucou était capable de se poser à peu près n'importe où, que les pistes soient ou non aménagées.

Quelle merveille ! On décollait très tôt le matin en direction du bivouac suivant, et on déchargeait le matériel sitôt arrivé, de façon à recevoir les premières images de *Meteosat*. C'est ainsi que fut réalisée une grande première mondiale : l'assistance météo d'une grande compétition internationale avec réception en direct des images satellites.

Une première qui hélas ! s'achèvera tragiquement. Le 14 janvier 1986, en fin d'après-midi, à la tombée de la nuit, l'hélicoptère de Thierry Sabine se crashe, entraînant dans la mort le pilote, un technicien radio, une journaliste et le chanteur Daniel Balavoine. Aussitôt, on accuse la mauvaise visibilité en raison d'un vent de sable. Mais les prévisions faites sur place ont démontré le contraire, photo satellite à l'appui. Il s'agissait malheureusement d'une erreur de pilotage, d'une mauvaise appréciation du relief. Après ce tragique accident, l'expérience de réception d'images *Meteosat* ne fut pas reconduite.

COMMENT J'AI MARCHÉ SUR MARS

Avec un soupçon d'imagination, on pourrait encore entendre résonner l'écho grinçant d'un air d'harmonica haché par les détonations d'un Colt à six coups. Bienvenue à Hanksville, deux cent dix-neuf âmes et un décor digne des meilleurs westerns spaghetti. Il faut dire qu'à l'époque de l'Ouest sauvage, ce coin reculé de l'Utah, tout en canyons et collines rougeoyantes, était réputé pour être un repaire de hors-la-loi. Si l'on en croit la légende, la petite bourgade aurait même servi de base de repli à de nombreux pilleurs de banques et dévaliseurs de train, parmi lesquels la bande du célèbre Butch Cassidy. Un bon siècle plus tard, les lointains héritiers de la horde sauvage se sont nettement assagis. Dans cet environnement quasi désertique, à la croisée des routes 24 et 95, on trouve deux stations-service – ici, la voiture est reine –, un motel et Blondie. Blondie, comme la peinture jaune d'or qui orne l'enseigne verte de ce drugstore où l'on trouve, pêle-mêle, souvenirs, café chaud, milk-shakes et, paraît-il, des « burgers mondialement connus ». Blondie, comme le surnom de la blonde patronne de cet établissement typique, l'un des seuls charmes de ce patelin oublié par le temps et l'histoire. Car pour le reste, on est loin de l'image idyllique de l'Amérique. Çà et là dans la plaine, des champs jonchés de matériel agricole rongé par la rouille entourent quelques fermes à l'abandon.

C'est ici, pourtant, dans l'un des coins les plus perdus des États-Unis que, pour la première fois, je vais « poser les pieds sur Mars ». À une demi-heure de piste d'Hanksville, dans un désert rocheux digne de la planète rouge, se dresse la masse blanche de la MDRS, la Mars Desert Research Station. Planté au milieu de nulle part, ce bidon cylindrique mesure 9 mètres de haut pour 8 mètres de diamètre. Pesant 20 tonnes, cette maquette d'un véritable module a servi à réaliser des études sur la station spatiale internationale. La NASA, qui n'en avait plus l'utilité, a fini par l'offrir à la Mars Society. C'est grâce à cette organisation que j'ai eu l'occasion de « vivre en Martien » pendant quelques jours. Fondée en 1998, par Robert Zubrin, elle s'est fixé l'objectif de promouvoir l'exploration et la colonisation de la planète Mars. Sacré personnage, ce Zubrin ! Diplômé en mathématiques, féru d'histoire de la littérature, ce touche-à-tout passionné a obtenu un doctorat en ingénierie nucléaire à l'université de Washington avant de rejoindre la firme Martin Marietta[34] et d'y plancher sur le concept de missions interplanétaires. Son idée : afin de réduire la lourde charge en carburant pour le vol retour depuis Mars, il préconise de le fabriquer sur place à partir du gaz carbonique de son atmosphère. Bingo ! La NASA retient son idée…

34. Devenue Lockheed-Martin, depuis sa fusion avec la firme aéronautique Lockheed, en 1995.

Encouragé dans la poursuite de son rêve, Zubrin ne s'arrête pas là et multiplie les expériences destinées à démontrer que l'exploration humaine de Mars n'est pas qu'une simple chimère mais un objectif concret et accessible. Notre venue dans l'Utah s'inscrit dans ce grand dessein. Avec mes cinq camarades, nous formons la première mission martienne américano-européenne. Sous les ordres d'un commandant de bord français, Charles Frankel, également géologue et journaliste à ses heures, nous allons vivre quinze jours durant en autarcie totale, comme si un vaisseau venait de nous déposer à 56 millions de kilomètres de notre bonne vieille Terre.

Charles Frankel résume son rôle comme celui d'un chef d'orchestre. Il s'agit de « définir le programme de travail, car nous allons travailler comme si nous nous trouvions réellement sur Mars, et bien entendu veiller au confort matériel des membres de mon équipage. » Son équipage, le voilà. Il se compose de trois anglophones : Hillary Bowden, une Anglaise rodée aux missions extrêmes ; Derek Shannon, un spécialiste américain de l'exobiologie, et Stacy Cusack, une Américaine, « Cap com » à la NASA, à Houston, c'est-à-dire chargée d'assurer les liaisons entre le sol et l'ISS, la station spatiale internationale. Chez les tenants de la langue de Molière, on trouve Pierre-Emmanuel Paulis, un Belge sympathique et passionné d'espace, auteur de bandes dessinées[35] et animateur à l'Euro Space Center de Liège ; Alain Souchier, spécialiste de la propulsion, qui va non seulement tester un robot mais aussi déployer ses talents d'ingénieur et de bricoleur et, enfin, votre serviteur.

---

35. Pierre-Emmanuel Paulis, *Un Belge sur Mars*, Éditions Dricot, 2007.

Question bricolage, nous allons être servis. Le confort de notre module d'habitation est plutôt rudimentaire. Les premiers jours sont donc consacrés à l'installation et, surtout, au dépannage. Il faut faire preuve d'inventivité car, comme le rappelle Charles Frankel, « ici, on vit en vase clos, comme si on était sur Mars. Aucun contact avec l'extérieur ». Les messages que nous envoyons *via* Internet au centre de contrôle de la Mars Society, à Denver, constituent notre seul lien avec le monde des Terriens. Un lien plutôt lâche : pour que l'expérience corresponde le plus possible à la réalité, nos messages franchissent la distance qui sépare l'Utah du Colorado (soit quelque 800 kilomètres) en autant de temps qu'il leur faudrait pour parcourir celle, soixante-dix mille fois plus longue, qui sépare Mars de la Terre. En clair : il faut attendre près d'une demi-heure entre le moment où nous expédions un e-mail et celui où Robert Zubrin, le directeur de la Mars Society, le lit !

Tout est mis en œuvre pour parfaire ainsi l'illusion. Pas question d'échapper librement au confinement de notre module. « On ne peut sortir qu'en scaphandre, martèle Charles Frankel. La pression sur Mars équivaut à celle qui règne chez nous à 40 kilomètres d'altitude. C'est quasiment le vide ! » Une volonté de respecter les conditions « locales » qui se heurte, évidemment, à quelques réalités incontournables. Dans l'Utah, la pesanteur exerce toujours son irrésistible force d'attraction, alors que sur Mars, elle est trois fois moins élevée. Autrement dit, un astronaute en scaphandre pesant 100 kilos sur Terre n'en pèserait plus que 38 là-bas. Un avantage précieux pour les longs trajets, que nous sommes incapables de reproduire. Tout comme nous ne pouvons pas simuler les différences d'atmosphère. « Ici, on ne meurt pas si on ouvre la porte ou les fenêtres », résume en plaisantant Pierre-Emmanuel Paulis. Il pourrait même ajouter que, en cas de problème, « il nous suffit de composer le 911 pour voir les secours arriver ». Sur Mars, il faudrait attendre entre six et neuf mois. Peut-être plus selon l'éloignement de la planète rouge.

Pour autant, Charles Frankel n'aime pas que l'on dise qu'il joue ici à l'apprenti martien. « C'est vrai que l'on s'amuse. Mais ce que l'on fait, c'est une simulation », répète-t-il. Les enfants le savent : le jeu, c'est sérieux. D'ailleurs, en dépit de ces petites entorses, il faut reconnaître que l'illusion est parfaite. « Ce n'est pas un hasard si nous sommes venus nous enterrer dans ce coin perdu de l'Utah », résume l'enthousiaste Frankel. En bon géologue, il ajoute : « Le décor est sublime avec sa dominante rouge, ses collines dont les flancs laissent apparaître les strates sédimentaires, ses canyons sculptés par l'eau. Il y a 200 millions d'années, c'était le fond d'une mer, qui a disparu il y a environ 10 millions d'années en laissant à l'air libre les couches de sédiments. »

Au fil des jours, la vie s'organise. Le premier étage abrite la base vie, son espace de travail et ses minuscules chambres individuelles. On n'est pas dans un quatre-étoiles. Juste ce qu'il faut pour faire du camping ! Le rez-de-chaussée, quant à lui, est réservé au sas pour les sorties, au local de stockage des scaphandres et à l'atelier de maintenance. Enfin, à l'extérieur du module, on trouve la station d'épuration, alimentée par les rejets des toilettes. Là, des bactéries, puis des jacinthes d'eau font le travail. Des filtres à sable et à charbon achèvent d'épurer l'eau qui retourne ensuite dans le circuit. C'est la solution qui sera retenue pour équiper de futurs engins spatiaux.

De cette immersion en vase clos émergent plusieurs souvenirs inoubliables. Le premier : cette expérience rare d'avoir vécu ainsi à six, les uns sur les autres – ou plutôt les uns à côté des autres, comme dans un sous-marin. Le second : notre simulation de sortie sur Mars, le clou de notre séjour.

D'abord, la séance d'habillage s'avère assez folklorique. Ambiance récup'. Les chaussures ? Celle des *rangers* de la Marine américaine. La combinaison en toile ? Elle provient directement du surplus de l'US Army. Le reste de l'équipement est à l'avenant. Sur la tête, nous posons un casque de plongeur doté de deux tuyaux d'arrivée d'air que ne renierait pas un aspirateur. Quant aux liaisons radio, nous les devons à de petits talkies-walkies Motorola achetés au supermarché du coin !

On s'y croirait pourtant. Vus de loin, avec nos énormes numéros peints sur le sac à dos censé contenir la réserve d'air, l'eau et l'émetteur radio, nous ressemblons à des « Marsonautes ». En fait, nous sommes sur Mars ! Nous arpentons la planète rouge à la recherche d'indices sur la présence d'eau ! D'ailleurs, comme dans la réalité, nous rencontrons notre lot de problèmes : buée sur le masque du scaphandre, ventilation insuffisante, gants trop rigides qui gênent le mouvement des phalanges et, au bout de quelques heures, une pressante envie d'uriner, impossible à satisfaire...

Décidément, c'est dur le métier de Martien ! Dur, mais utile. Toutes nos remarques sont soigneusement consignées pour être ensuite transmises à la NASA qui s'en servira pour mettre au point de futurs scaphandres et d'autres équipements. Dur, mais enthousiasmant. À l'issue de ce séjour, nous sortons tous comblés, heureux et gonflés à bloc à l'idée d'aller y faire un tour. Mais il est vrai que nous, nous gardions un billet de retour au fond de notre poche. Les pionniers qui iront réellement sur Mars ne disposeront peut-être pas d'une telle chance. Pour eux, ce pourrait être un aller simple, le troc définitif d'une planète bleue contre une rouge.

Une perspective suffisamment affolante pour refroidir les ardeurs des volontaires ? Apparemment non. Cela peut sembler incroyable, mais les candidats se bousculent. En 2012, ils sont 202 586, originaires de tous les continents, à avoir ainsi postulé pour faire partie d'un voyage vers Mars, sans espoir de retour. Au programme : une croisière stellaire de six à sept mois, coincés à quatre dans une minuscule capsule, sans rien voir d'autre du paysage cosmique qu'un immense fond noir percé, çà et là, de quelques points lumineux. Puis, à l'issue de ce voyage monotone, ces pionniers devraient arriver en douceur sur la planète rouge, pour y passer le reste d'une vie écourtée[36], naufragés volontaires qu'aucun vaisseau ne viendra jamais chercher.

Cette robinsonnade à la mode martienne pourrait prêter à sourire. Et pourtant, Mars One, cet ambitieux programme de colonisation, « a été pensé par des gens sérieux, avec une mentalité de fonceurs à l'américaine », résume Alain Souchier. Leur credo : « On essaie et ça va peut-être marcher[37]. » Celui qui dit cela n'a rien d'un farfelu, ni d'un illuminé. Alain et moi

36. En août 2014, une étude réalisée par le très sérieux Massachusetts Institute of Technology (MIT) révélait que la technique envisagée pour nourrir les premiers colons (faire pousser des plantes à l'intérieur du module) conduirait à leur mort par famine ou par asphyxie au bout de soixante-huit jours.

37. « Coloniser Mars, une mission sans retour », par Sylvie Rouat, *in Sciences et Avenir*, n° 823, septembre 2015.

nous connaissons depuis de longues années. C'est un brillant ingénieur en propulsion qui a participé à la mise au point du moteur à hydrogène et oxygène liquides d'*Ariane*, le HM7, au sein de ce qui s'appelait alors la SEP, la Société européenne de propulsion, devenue par la suite la Snecma, puis Safran.

Technicien reconnu, Alain est aussi le président de l'association Planète Mars, la branche française de la Planetary Society, une association privée américaine, fondée par le talentueux astrophysicien Carl Sagan, aujourd'hui disparu. Cette fondation s'est fixé pour objectif d'encourager les projets spatiaux, parmi lesquels le plus emblématique reste, bien entendu, la colonisation de Mars. Il porte donc un œil d'expert sur Mars One, idée lancée par une fondation néerlandaise dans le but d'accélérer l'exploration spatiale et d'aiguillonner les grandes agences gouvernementales, peu enclines à desserrer les cordons de leur bourse. Néanmoins, si l'ambition est admirable et fait rêver les amateurs d'espace comme d'aventure, le projet reste sujet à caution. C'est qu'on n'organise pas comme ça une mission spatiale habitée, doublée, en plus, de l'installation d'une colonie humaine sur une planète plutôt inhospitalière.

D'ailleurs, comme le reconnaît Alain Souchier, « Mars One patine ». Faute d'expertise technique, d'abord. Faute de financement, ensuite. La société de production néerlandaise Endemol, qui envisageait un temps de tourner une sorte de Koh-Lanta autour de l'entraînement du premier équipage, a d'ailleurs jeté l'éponge et retiré ses billes. Résultat, Mars One doit trouver rapidement 6 milliards d'euros… Une paille ! Pourtant, la somme est encore jugée largement insuffisante par les experts, dont Alain Souchier. Pour lui, la facture totale tournerait plutôt autour des 100 milliards d'euros…

Si les chances de voir un jour Mars One devenir le fer de lance de la conquête martienne s'amenuisent, l'aventure aura pourtant eu un effet positif. « Il aura eu, au moins, le mérite de faire parler de l'exploration spatiale », note Florence Porcel, blogueuse française qui a fait partie des candidats recalés, après deux premiers rounds de sélection réussis. Sur les 202 586 postulants au départ, ils ne sont plus que cent à rester en lice, cinquante hommes et cinquante femmes, parmi lesquels un Français, Jérémie Saget, un médecin bordelais de 37 ans. Bientôt, à l'issue d'une nouvelle batterie de tests, ils ne seront plus que vingt-quatre. Des épreuves qui prévoient notamment un séjour de quinze jours en isolement complet dans une sorte de module spatial posé sur ses quatre pieds dans un coin perdu de l'Utah. Tiens, à défaut d'y participer moi-même, peut-être pourrais-je leur donner quelques conseils. Après tout, j'ai bien marché sur Mars…

DEMAIN, L'ESPACE

Parodiant Georges Clemenceau, selon qui « la guerre est une chose trop grave pour être confiée à des militaires », on pourrait écrire aujourd'hui que « l'espace est quelque chose de trop sérieux pour être confié aux seuls spécialistes... » – entendez par là, aux grandes organisations étatiques. Jusqu'à présent, en effet, l'astronautique était l'affaire d'un club très fermé dont les membres se comptaient sur les doigts d'une main. Depuis peu, on voit émerger de nouvelles puissances spatiales, qui se frayent peu à peu leur propre chemin vers les astres. Parmi elles, on compte le Brésil, l'Iran, mais aussi deux géants : l'Inde et la Chine.

Discrètement, la première fait monter en puissance un programme initié au début des années 1960. En 2013, son budget spatial a ainsi augmenté de 50 % pour s'élever à plus d'1 milliard d'euros, et le deuxième pays le plus peuplé de la planète maîtrise désormais toute la chaîne spatiale, des satellites aux sondes d'exploration en passant par les fusées. Pièce maîtresse du dispositif, son lanceur lourd, *GSLV*, est capable de placer des charges de plus de 2 tonnes en orbite géostationnaire, ce qui lui ouvre la porte d'accès aux satellites de télécommunication et d'observation. Si l'Inde donne la priorité au développement de ses lanceurs et à l'espace utile (télécommunications, observation de la Terre, GPS et météo), elle s'offre aussi de temps à autre quelques missions de prestige, histoire d'affirmer sa présence dans l'espace. Elle a ainsi réussi à mettre une sonde en orbite autour de Mars et à en poser une autre en douceur sur le sol lunaire.

Si, malgré ces succès, l'Inde n'entend pas être présente sur le marché commercial des satellites à courte échéance, il n'en va pas de même de son voisin chinois, qui compte bien casser les prix avec une large panoplie de lanceurs. Parallèlement au fulgurant essor économique et industriel du pays, depuis deux décennies les Chinois se sont lancés à grande vitesse dans l'aventure de la conquête spatiale. Partant d'anciens lanceurs soviétiques, ils ont notamment su développer leurs propres moyens spatiaux. Leur cheval de bataille demeure le lanceur *CZ-2F (Longue Marche 2F)*. Doté d'un troisième étage à hydrogène et oxygène liquides, celui-ci est utilisé aussi bien pour la mise en orbite géostationnaire de satellites de télécommunication que pour le lancement de la capsule *Shenzhou* ou des modules de la station orbitale *Tiangong*. Une version plus puissante, *Longue Marche 5*, est en cours de développement.

Sentant la menace, les Américains ont, jusqu'à présent, freiné la concurrence chinoise en interdisant l'exportation de technologies sensibles dans le secteur des satellites. Mais ce n'est que reculer pour mieux sauter. Les Russes l'ont d'ailleurs compris : voyant la concurrence éclore de toute part, les pionniers d'autrefois ont décidé de remettre le pied à l'étrier. Avec leurs antiques fusées *Soyouz* et *Proton*, ils ont un temps été exclus de la compétition commerciale, mais devraient revenir dans la course en 2018 avec leur nouveau lanceur *Angara*, du niveau d'*Ariane 5* ou de l'*Atlas V* américaine. Bientôt, c'est toute une famille de fusées qui devrait voir le jour pour remplacer les reliques de l'ère soviétique.

Cela suffira-t-il ? Pas sûr, car depuis une grosse dizaine d'années, la conquête spatiale est entrée dans une nouvelle ère dans laquelle il est moins question de souveraineté nationale que de commerce. L'espace vit son « uberisation ». Après les États, leurs gros moyens, leur soif de gloire nationale et leurs préoccupations stratégiques, voilà qu'émergent de nouveaux acteurs, animés par d'autres ambitions : démocratiser l'aventure et exploiter un « juteux marché » en pleine expansion. « Les technologies diffusent… », résume Jean-Pascal Lefranc du département stratégie au CNES.

Et pour cause : à condition de savoir où chercher et moyennant une poignée de dollars, rien de plus simple que de dénicher des moteurs, du carburant et les bons ingénieurs capables de fabriquer un lanceur. Et qui dit commerce dit aussi concurrence. Jusqu'alors, cette dernière restait embryonnaire. « Le vrai marché, celui des satellites de télécommunications en orbite géostationnaire, soit une vingtaine de lancements par an, était concentré entre les mains de quelques opérateurs », rappelle Christophe Bonnal, expert à la direction des lanceurs du CNES. En clair : Arianespace et International Launch Services (avec sa fusée russe *Proton*) se partageaient un joli pactole, estimé à 120 milliards de dollars par an. Comme il le résume de façon triviale, « on se faisait du gras ». Une époque révolue depuis qu'à l'orée du nouveau millénaire, un jeune homme en jean et tee-shirt a interpellé les grands de l'espace, lors d'un congrès d'astronautique.

« Salut, je m'appelle Elon Musk. Je suis le fondateur de PayPal et de SpaceX. Dans cinq ans, vous êtes morts ! » Un haussement d'épaules salue la déclaration tonitruante de ce trublion. Il ne connaît rien au secteur, s'amusent les spécialistes. C'est peut-être là leur erreur et la clef de la réussite de cet entrepreneur dont la force de travail n'a d'égale que la mégalomanie. Créateur d'entreprises à succès (le constructeur des luxueuses voitures électriques Tesla, c'est encore lui), il a l'argent – beaucoup d'argent –, la volonté et un regard neuf sur le système. Dès lors, il peut tout remettre à plat.

Et il le fait ! Avec une fusée *Falcon* très simple, une organisation industrielle optimisée et des prix cassés (de 30 à 40 %, inférieurs à ceux pratiqués par ses concurrents), Elon Musk fait entrer le vol spatial dans l'ère du *low cost*. Suite à l'abandon du programme *Navette* par les Américains, il remporte même, en 2008, un appel d'offres lancé par la NASA pour convoyer du fret et des équipages jusqu'à la station spatiale internationale. Mieux encore, le milliardaire sud-africain ose s'attaquer au mythe du « récupérable » : il tente de maîtriser le retour sur Terre du premier étage de sa fusée – les trois quarts du prix du lanceur – afin de pouvoir le réutiliser.

Pari gagné : le 22 décembre 2015, le premier étage de *Falcon* se pose en douceur à cap Canaveral. Un coup de maître renouvelé depuis par deux fois. Mieux, le 6 mai 2016, le premier étage de la fusée *Falcon 9* réussit son atterrissage sur une barge ancrée à 600 kilomètres au large de la Floride, après avoir envoyé le satellite de communication japonais *JC SAT 14* vers une orbite géostationnaire. Sacrée avancée technologique : cette orbite rend le retour sur Terre du lanceur bien plus complexe et demande un freinage trois fois plus important que pour un retour depuis les orbites basses. Sacrée avancée commerciale, aussi : l'orbite géostationnaire est précisément celle utilisée par la plupart des clients d'Arianespace et représente le gros du marché des lancements commerciaux.

Elon Musk ne compte pas s'arrêter en si bon chemin. Le 27 avril 2016, le Pentagone a ainsi diffusé une information passée quasiment inaperçue et pourtant lourde de conséquences : l'US Air Force a choisi SpaceX pour le lancement d'un *GPS III* en mai 2018. En un mot, quatorze ans après sa création, la firme californienne accède au marché institutionnel (le plus lucratif) grâce à une offre de 83 millions de dollars, bien supérieure au marché commercial. Elon Musk va enfin gagner de l'argent dans ce domaine ! Bref, « il y a réellement une rupture de marché », insiste Christophe Bonnal.

Une rupture d'autant plus nette qu'Elon Musk n'est pas le seul à s'être lancé sur le marché de l'astronautique privée. Un autre milliardaire, Jeff Bezos, est lui aussi parti à l'aventure. Au début des années 2000, le fondateur et propriétaire d'Amazon lance une société destinée à faire baisser le coût d'accès à l'espace, Blue Origin. Comme Musk, il entreprend de développer son propre lanceur, baptisé *New Shepard* en hommage à Alan Shepard, le premier Américain à avoir voyagé dans l'espace. Comme son concurrent – et même un peu avant lui –, il réussit le pari d'en récupérer le premier étage. Le 23 novembre 2015, sa fusée devient la première de l'histoire à atterrir en douceur après un lancement et un vol à 120 kilomètres d'altitude. Depuis, elle a effectué quatre vols avec trois récupérations d'étage.

Le duopole *Ariane-Proton* est brisé. Désormais, la partie va se jouer entre quatre, cinq opérateurs, voire plus. Une petite révolution qui fait le bonheur des clients, satisfaits de voir les tarifs piquer enfin du nez. « Il est essentiel d'avoir, à l'instant T, le meilleur lanceur au meilleur prix. Et pour cela, nous voulons avoir le choix » explique ainsi Michel de Rosen, ancien P.-D.G. d'Eutelsat, le numéro trois des opérateurs de satellites de télécommunications.

Face à ce défi technologique et commercial, l'Europe, un moment ébranlée, est passée à l'action. Confrontée à cette menace grandissante, elle décide de répondre avec *Ariane 6*, une nouvelle fusée censée rivaliser avec la *Falcon 9* de SpaceX. La nouvelle *Ariane*, qui existera en deux versions, réalisera son premier vol en 2020 à partir d'un nouveau pas de tir, à Kourou, pour un budget total de 4 milliards d'euros. En privé, dans le petit cercle des amoureux de l'espace, les voix s'élèvent pour souhaiter que l'Europe réussisse son pari *Ariane 6* et, surtout, arrive à diviser par deux le coût des lancements. « C'est cela ou bien nous sommes morts », disent certains en privé. Le défi est de taille. Qui plus est, la mise au point d'un étage récupérable est étudiée, ainsi que la propulsion en brûlant du méthane et de l'oxygène liquides. Quel revirement !

❊❊❊❊

Il l'est d'autant plus que les anciens acteurs ne sont pas simplement confrontés à l'émergence d'une concurrence nouvelle, mais aussi à celle de nouveaux usages et besoins. L'espace devient, par exemple, la dernière destination touristique à la mode.

Dès les années 1950, le cinéma en a rêvé. Dans son long-métrage *Destination Moon*, Irving Pichel raconte la première expédition lunaire réalisée par un groupe d'investisseurs privés à l'aide d'une fusée à propulsion nucléaire. Un moteur atomique... comme celui de la fusée dans laquelle Hergé propulse Tintin et le capitaine Haddock sur la Lune, en 1954.

Depuis, l'idée a fait son chemin. À telle enseigne que dans les années 1970, alors que la firme Rockwell travaillait sur la future navette, des experts de la NASA se demandaient s'il était possible de doter cet engin d'une cabine passager, à savoir une cabine amovible logée dans la soute de la navette et capable – tenez-vous bien – de transporter en « classe affaires » jusqu'à soixante-quatorze passagers !

Trop compliqué, répondent les ingénieurs. Un refus qui n'arrête pas l'administration américaine. Toujours soucieuse de justifier auprès des contribuables les millions de dollars consacrés au programme, l'agence spatiale américaine s'entête à vouloir envoyer dans l'espace des non-professionnels. Après tout, quoi de mieux pour faire rêver le grand public que de lui laisser entrevoir la possibilité qu'un jour, lui aussi pourra tutoyer les étoiles ?

Le prix de ce rêve américain ? Quarante mille billets verts pour huit jours en apesanteur. Et c'est ainsi qu'on a vu un sénateur, un député ou encore un ingénieur de la firme McDonnell-Douglas en voyage organisé dans l'espace. Mais depuis la mort de Sharon Christa McAuliffe et de six astronautes lors de l'explosion de la navette *Challenger*, les Américains ne prennent plus le risque d'envoyer des amateurs sur un pas de tir. Si elle signe la fin du tourisme spatial outre-Atlantique, de l'autre côté du globe, la catastrophe ne douche pas l'enthousiasme de certains. Cherchant de nouvelles sources de financement après la chute du régime soviétique, les Russes ouvrent en grand les portes de leur *Soyouz* et de la station spatiale *Mir*. Ironie de l'histoire, le premier à en profiter sera un homme d'affaires américain, ancien ingénieur de la NASA, qui plus est. Pour réaliser son rêve de gosse, Dennis Tito signe un chèque de 20 millions de dollars à la société Mircorp. En échange, il reçoit l'assurance d'effectuer un vol de huit jours en orbite à bord de la station *Mir*. Le 28 avril 2001, après un séjour de près d'un an à la Cité des étoiles, il décolle de Baïkonour, devenant le quatre cent quinzième humain à voyager dans le cosmos, et le premier touriste spatial payant de l'histoire !

Certes, on est loin de la classe affaires et de l'hôtel cinq étoiles. Mais le plus vieil astronaute, à l'époque (60 ans au compteur, tout de même), bénéficie de conditions de voyage assez confortables. Plutôt que la vieille station *Mir*, précipitée dans l'océan Indien un mois auparavant, c'est à la toute nouvelle station spatiale internationale, l'*ISS*, que s'amarre sa capsule *Soyouz*. C'est le grand luxe ! Et après huit jours à tourner autour de notre bonne vieille Terre, c'est un Tito rayonnant qui retrouve le plancher des vaches. Une nouvelle ère vient de s'ouvrir. Après lui, six autres « routards » emprunteront le chemin de l'espace.

Ils ne sont probablement pas les derniers. Fort de son expérience, Tito crée en 2013 la fondation Inspiration Mars. Son but ? Organiser un voyage privé, rien de moins, vers la planète rouge… en 2018 ! Rien n'interdit de rêver… Reste que si certains projets peuvent sembler irréalistes, cette ouverture au privé des vols spatiaux va donner des idées à d'autres entrepreneurs qui, eux, gardent les pieds sur terre. Parmi les plus actifs, on trouve notamment le médiatique Richard Branson et l'incontournable Elon Musk. Les deux hommes ont beau être concurrents, ils partagent une même idée de départ : si les candidats à l'espace sont nombreux, tous n'ont ni le temps, ni l'envie, ni les capacités physiques d'aller passer un an dans les rigueurs de la Cité des étoiles moscovite pour subir le même entraînement qu'un équipage d'astronautes professionnels. Il faut donc leur proposer autre chose : une sorte « d'espace Canada Dry » qui en procurerait l'émotion et les sensations, sans les inconvénients. Le tout pour un prix cent fois inférieur à celui d'un véritable séjour spatial. Or la solution existe : le vol suborbital.

Comment ça marche ? Eh bien ! rien de plus simple. Vous prenez place à bord d'un avion-fusée qu'un moteur propulse à 100 kilomètres d'altitude, soit à peine une vingtaine de kilomètres en dessous de la frontière de l'espace. Là, durant quelques minutes, l'engin effectue un vol parabolique pendant lequel les apprentis astronautes tâtent un peu de l'impesanteur. Ils en éprouvent ainsi les délices : flotter dans la cabine comme de vrais astronautes. Et les douleurs : le risque d'être victime de nausées. Surtout, ils ont sous les yeux cette vision extraordinaire : une Terre ronde, lointaine et bleue, surmontée d'un ciel d'encre. « Et cela, comme le dit Michel Tognini qui eut la chance d'y goûter à la fois à bord de *Soyouz* et de la navette, cela vaut tout l'or du monde. » Enfin, pas tout à fait, puisque ces vols *low cost* ne coûtent « que » 150 000 dollars...

Une sacrée somme, tout de même, pour quelques minutes de vol. Rien d'étonnant donc, à ce que certains, comme Richard Branson, aient flairé le bon filon. Selon l'excentrique milliardaire barbu, le marché des clients potentiels s'élèverait à plusieurs dizaines de milliers de personnes. Mais de la coupe aux lèvres, du rêve à la réalité, il y a plus qu'un pas, un fossé, voire un abîme dans ce domaine où l'expérience reste malgré tout une donnée incontournable.

Le fondateur de Virgin Galactic en a d'ailleurs fait la cruelle expérience. Le 31 octobre 2014, lors d'un vol d'essai, son véhicule *SpaceShipOne* s'est désintégré, tuant l'un de ses pilotes. Une tragédie qui l'a obligé à repousser la commercialisation de ses billets pour l'espace, initialement censée débuter en 2015. Pour combien de temps ? Les spécialistes ne s'y trompent pas : « Le tourisme spatial existera un jour ou l'autre », assure Jean-François Clervoy, même si cette perspective n'enchante pas plus que ça le spationaute français. « L'espace n'est pas qu'une balade pour le plaisir, glisse-t-il. C'est, avant tout, une performance technique et humaine. »

Mais que pèsent les remarques des professionnels face aux lubies des nouveaux riches ? Pas grand-chose apparemment. Après Branson et Virgin Galactic, un autre milliardaire, Robert Bigelow, propriétaire d'une chaîne d'hôtels, a investi 500 millions de dollars dans la réalisation d'un hôtel spatial constitué de structures gonflables. À long terme, son objectif est de disposer de trois stations commerciales capables d'accueillir huit cents clients au cours des dix prochaines années. Mieux encore, la société californienne Constellation Services International propose de réaliser des vols habités à bord d'un *Soyouz* russe autour de la Lune ! Décidément, l'espace suscite toutes les démesures.

Même la très sérieuse Agence spatiale européenne, s'est mise sur les rangs. Pour Jean-Pierre Haigneré, qui a séjourné six mois à bord de la station *Mir* et effectué une sortie dans l'espace : « L'Europe doit être présente sur ce marché. » Et d'ajouter : « Cinquante ans après Gagarine, nous assistons, enfin, au début de la démocratisation de l'espace. » Fervent défenseur du vol orbital, il vient de créer l'ACE, l'Astronaute Club européen. Pour lui, à l'horizon 2020, le marché sera de mille cinq cents passagers pour un prix de 38 000 euros. Espérons-le.

En attendant, pour 6 000 euros, vous pouvez vous offrir cinq à six minutes d'apesanteur, non pas à bord d'une capsule spatiale mais d'un avion, un Airbus A300 de la société française Novespace présidée par l'astronaute Jean-François Clervoy. Spécialement équipé, l'avion décrit une succession de paraboles durant lesquelles les passagers sont en apesanteur pendant vingt à vingt-deux secondes. Au total, ils passent ainsi cinq à six minutes à flotter dans la cabine. « Une expérience incroyable, comme le décrit Jean-François. L'apesanteur ne s'oublie pas ! »

De plus en plus d'amateurs dans l'espace, d'accord. Mais *quid* des astronautes, les vrais professionnels du genre ? Force est de reconnaître que leur place se réduit comme peau de chagrin. Les Américains n'ont plus de navette depuis 2011 et les Russes ont réduit la voilure. Quant aux grandes nations européennes, elles en sont contraintes, faute de moyens propres, à s'en remettre à ces deux-là : les États-Unis pour l'entraînement et le séjour à bord de la station spatiale internationale (*ISS*) et la Russie pour le transport à l'aide de *Soyouz*. Autant dire que le nombre de places est limité.

Pour autant, tout le monde ne le regrette pas. « Tourner autour de la Terre ? On l'a fait et refait », insiste, en haussant les épaules, Patrick Baudry. Qui ajoute : « En plus, les expériences scientifiques sont toujours les mêmes. » De fait, la principale occupation des astronautes à bord de l'*ISS* consiste désormais à effectuer la maintenance de ce gigantesque Meccano. Le programme expérimental ? Il est réduit à sa plus simple expression. Rien d'étonnant, à vrai dire, tant ce programme a été bâti sur des considérations politiques (récupérer les moyens de l'industrie spatiale soviétique après la chute du communisme) plus que scientifiques. « Mais, puisqu'elle tourne, autant s'en servir… », rappelle Jean-Jacques Dordain, l'ancien directeur de l'ESA.

Pour autant, l'espoir de voir les astronautes nous faire à nouveau rêver n'est pas tout à fait perdu. Dans l'optique d'un abandon possible de l'*ISS* à l'horizon 2020, la NASA cherche de nouveaux défis pour ses futurs vols habités. Au programme : des missions au long cours incluant, par exemple, la capture d'un astéroïde, avec comme objectif d'y poser un module, d'y prélever des échantillons et de les ramener sur Terre. Mais, avec le projet *Journey to Mars* (voyage vers Mars), c'est surtout la planète rouge que vise Charlie Bolden, l'administrateur de l'agence américaine.

Sur le papier, l'ambition du patron de l'agence spatiale américaine est simple : poser un pied humain sur le sol martien à l'horizon 2030. Techniquement, les choses promettent d'être beaucoup plus complexes, mais les Américains semblent y croire. Après tout, ne viennent-ils pas, au cours d'une récente « tournée des popotes », de publier un échéancier ? Suffisant pour intéresser les Européens, les Japonais et peut-être les Chinois, à ce qui va devenir le grand défi du XXIe siècle ?… Apparemment oui. « Ce projet, *Journey to Mars*, m'a impressionné parce qu'il a une vraie logique », a ainsi déclaré Jean-Yves Le Gall, le président du CNES, à l'issue du 32e Symposium sur l'espace qui s'est tenu à Colorado Springs, aux États-Unis, en avril 2016. « En parvenant à réduire les coûts des lancements, on peut envisager l'envoi d'un très gros vaisseau vers Mars, que l'on assemblerait au préalable autour de la Terre ou autour de la Lune. » Bref, ce qui était improbable il y a trois ou quatre ans le devient… de moins en moins. Et Jean-Yves Le Gall de conclure : « L'Agence spatiale française, le CNES, sera partie prenante ! » Une prophétie à prendre au sérieux, disent en privé les spécialistes du CNES.

****

Oublions un instant l'aventure martienne pour revenir sur Terre, à nos préoccupations quotidiennes. Force est de reconnaître que, en un demi-siècle, notre société a connu une formidable accélération !

En 1957, le premier satellite artificiel de la Terre fait entrer l'humanité dans l'ère spatiale. Quatre ans plus tard, en 1961, l'homme s'approprie ce nouvel espace, avec Iouri Gagarine. Huit ans après, en 1969, il pose le pied sur le sol d'une autre planète que la sienne, la Lune. Et depuis, c'est la ronde incessante des hommes et des satellites autour de la Terre. Parce qu'ils tournent en permanence au-dessus de l'atmosphère, ces derniers sont devenus des observateurs privilégiés et infatigables. Les militaires, les premiers, ont compris tout ce qu'ils pouvaient tirer de ces espions invisibles qui s'affranchissent des frontières, gomment le relief, regardent à travers les nuages grâce à leurs radars. Ils n'en ont pas gardé longtemps le monopole.

Aujourd'hui, le grand public peut facilement et gratuitement avoir accès à ces dizaines de millions de clichés, longtemps réservés aux professionnels capables de payer pour y jeter un œil. Prenons un exemple : en 1991, en pleine guerre du Golfe, il était impossible pour nous, journalistes, d'obtenir des photos de l'Irak. Il fallait en faire la demande à la société Spot Images qui les commercialisait et demander une autorisation au département communication du CNES… La réponse (lorsqu'elle arrivait) était invariablement la même : « Secret-Défense » ! Aujourd'hui, dans une situation comparable, les journalistes n'ont qu'à se précipiter sur l'application Google Earth pour obtenir les vues satellites des régions sensibles. Et ce, avec une résolution qui ferait pâlir d'envie les militaires de l'époque !

Faites vous-même l'expérience : sur votre iPhone, vous pouvez voir votre maison, votre jardin, votre voiture garée dans l'allée. Et ce parce que Google a mis à la disposition du public les images prises par des satellites. Mais Google ne compte pas s'arrêter là. Il envisage de se doter de ses propres petits satellites qui nous donneront en direct les images qui nous intéressent. Comme le souligne avec justesse Jacques Arnould dans *Une perle bleue* : « La Terre est aujourd'hui mise à la disposition de tous, dans les rayons des supermarchés. Les mappemondes ont disparu des salles de classe pour devenir de simples objets de décoration… Bref, la Terre fait l'objet d'une rentable mise en scène sur n'importe quel écran d'ordinateur, d'un simple clic. »

Dès lors, les applications et les utilisateurs n'ont de cesse de se multiplier : aménageurs, architectes, compagnies d'assurances, géomètres, agriculteurs, et tout récemment le fisc. Tous les domaines de l'activité humaine sont désormais concernés par la photographie spatiale. Mais une image ce n'est encore qu'un aplat, l'espace en deux dimensions. Si l'on y ajoute l'altitude donnée par un radar, un nouvel univers, plus vaste, plus précis et plus détaillé s'ouvre à nous : celui de la troisième dimension – la 3D, comme on la désigne communément.

Grâce à la précision, de l'ordre du millimètre, des outils de mesure embarqués à bord des satellites, on peut déterminer la hauteur des vagues, la variation du niveau des mers, des fleuves et maintenant des lacs. En couplant ces données avec d'autres, comme la température de l'eau, la direction des vents, la hauteur de la houle et le sens des courants, des entreprises comme Mercator, à Toulouse, diffusent des informations indispensables aux marins, aux pêcheurs, aux compagnies de navigation, aux plateformes pétrolières... Sans parler des navigateurs du Vendée Globe ou de la Route du Rhum.

Cette précision de l'altimétrie ouvre également un vaste champ d'applications sur Terre : on peut suivre les mouvements de terrain lors de la construction de grands immeubles ou lors du percement d'un tunnel de métro, surveiller la stabilité du sol à proximité des barrages hydroélectriques ou dans les zones sensibles aux glissements de terrains. Grâce à l'œil des satellites, les scientifiques peuvent aussi suivre les variations du niveau de la croûte terrestre, qui indiquent parfois l'imminence d'un tremblement de terre ou encore le gonflement d'un volcan, symptôme d'une montée de lave et signe annonciateur d'une éruption prochaine.

Autant d'utilisations qui ont fait naître une nouvelle idée : la cartographie d'urgence. Il s'agit d'utiliser la richesse et la précision de ces images venues de l'espace pour répondre aux catastrophes majeures comme les inondations, les séismes, les incendies de forêts ou les tempêtes. En France, après le passage de celle de 1999, il avait fallu presque quarante-huit heures pour accéder à certaines zones, évaluer l'ampleur des dégâts et organiser les secours. En « écoutant » les satellites, ce délai aurait pu être largement réduit. « L'idée peut paraître évidente, mais elle a mis une dizaine d'années à s'imposer », rappelle Hélène de Boissezon, responsable de la Charte sécurité au CNES.

Le tsunami de 2004 en Indonésie, l'un des pires cataclysmes des temps modernes, fut le facteur déclenchant. Ce dimanche 26 décembre au matin, le satellite *Jason* a très bien vu la propagation de l'onde du tsunami. À l'origine, cette dernière ne mesurait que 50 centimètres de hauteur. Une vaguelette pour l'œil humain, mais pas pour le satellite. Infatigable, imperturbable et infaillible, celui-ci l'a regardée se propager dans l'océan Indien à la vitesse de 800 kilomètres-heure. Il l'a vue perdre de sa vitesse à proximité des côtes et se transformer en une déferlante de 10 à 15 mètres de haut ! Malheureusement, si depuis le ciel étoilé l'outil spatial voyait et enregistrait, il restait impuissant. Sur Terre, le réseau de diffusion de l'information et d'alerte faisait cruellement défaut...

Six ans plus tard, lors du tremblement de terre en Haïti, les images à très haute résolution du satellite *Pléiade* ont permis aux équipes françaises de la Protection civile d'être très efficaces. L'épisode a marqué les débuts d'une véritable coopération internationale dans le cadre d'une convention réunissant les principales agences spatiales. C'est à l'initiative du CNES et de l'Agence spatiale européenne que cette charte a vu le jour. Depuis, son efficacité ne se dément pas, puisque chaque année elle couvre une quarantaine de catastrophes en moyenne, en fournissant des cartographies spatiales aux services de secours.

****

Utile lors d'événements tragiques, l'espace l'est aussi – mais plus discrètement – dans notre quotidien. Dans le domaine des télécommunications, par exemple, sa colonisation par les satellites fut déterminante. Nous y sommes habitués et le traditionnel « Nous sommes en liaison grâce au satellite avec notre envoyé spécial... » fait désormais partie du décor. Mais, pour les chaînes de télévision, se libérer des classiques réseaux hertziens a représenté un changement fondamental. Elles pouvaient désormais recevoir des images et joindre leurs journalistes jusque dans les zones les plus reculées du monde.

Derrière leur poste, les téléspectateurs en ont aussi bénéficié. Parce qu'ils recevaient une meilleure information. Ou bien, tout simplement, parce qu'ils recevaient *enfin* l'information ! Là où il n'existait pas d'infrastructure au sol, là où le relief bloquait la propagation des ondes, en plein désert ou au milieu des océans, le satellite s'est révélé incontournable. Et ce qui est vrai pour la télévision l'est aujourd'hui pour Internet, grâce aux satellites dédiés à la transmission de données. Les géants du Web ne s'y sont d'ailleurs pas trompés. Alors que quatre milliards de Terriens vivent encore sans Internet faute d'infrastructures, ce nombre devrait chuter considérablement dans les années qui viennent.

Juin 2015, Salon aéronautique du Bourget. C'est l'effervescence sur le stand Airbus. La filiale « Défense et Espace » de l'avionneur européen est en passe de décrocher ce que certains appellent déjà le « contrat du siècle ». Jugez plutôt : dans les travées du salon, on parle d'un marché de 1,3 milliard de dollars pour la livraison de la bagatelle de neuf cents satellites de petite taille.

Le client potentiel ? Un groupe américain nommé OneWeb, dont le fondateur est Greg Wyler, l'ancien patron des activités satellites de Google. Autant dire quelqu'un qui connaît son affaire. Son but ? Connecter la planète entière à Internet, jusque dans ses zones les plus reculées. Et il n'est pas seul sur ce business. Avec le développement de nouveaux services (Internet pour tous, transmissions de données à haut débit, surveillance complète de notre globe pour la gestion de ses ressources et la protection de l'environnement), certains estiment que le marché en pleine croissance du lancement de satellites pourrait atteindre 200 milliards de dollars !

Un gros gâteau dont les nouveaux riches du Web, les fameux « Gafa » (Google, Amazon, Facebook, Apple), veulent leur part. Sundar Pichai, le nouveau P.-D.G de Google, évoque la mise en orbite de près d'un millier de satellites... Elon Musk, encore lui, envisage d'en lancer quatre fois plus. Mais attention, on ne parle pas là de gros satellites de télécommunication, ces mastodontes de 5 à 6 tonnes qu'il faut placer en orbite géostationnaire à 36 000 kilomètres au-dessus de l'équateur. Non, place aux minisatellites de 150 kilos tournant autour de la Terre à 1 000 kilomètres d'altitude. Car, à la différence de leurs aînés, ces derniers ne sont pas fixes : on dit qu'ils défilent. Il faut donc en placer plusieurs centaines en orbite de façon à obtenir une couverture complète de la planète. Du coup, on change d'échelle. Dans un univers spatial où l'on était habitué à travailler à l'unité, une vraie révolution industrielle se profile.

Ces nouveaux objets volants sont désormais fabriqués en grande série comme les automobiles. Une source d'économie à laquelle s'en ajoute une autre : puisqu'il suffit de les placer en orbite basse, le coût des lancements baisse de façon drastique. Ainsi, en créant des constellations de satellites, on revient au bon vieux concept : « petit, pas cher et rapide ». Ce qui ne va pas sans poser quelques questions. « Pour le moment, il y a, en tout et pour tout, quatre mille satellites qui tournent autour de la Terre, rappelle Lionel Suchet, le directeur de l'innovation au CNES. Mais pour une seule de ces constellations, il en faut mille autres. Résultat, dans vingt-cinq ans, on pourrait se retrouver avec vingt-cinq mille satellites, six fois plus qu'actuellement ! »

Inutile de se le cacher : l'espace va bientôt ressembler à l'autoroute du Sud un week-end du mois d'août. Avec tous les problèmes qui vont de pair. L'engorgement, d'abord. Car qui dit lancement à la chaîne dit lanceur, pas de tir, cadence de tirs… « Comme ces minisatellites ont une durée de vie de cinq ans, cela signifie que tous les cinq ans, il y aura mille satellites qui vont tomber et mille qui vont repartir vers l'espace… », poursuit en souriant Lionel Suchet. Les accidents, ensuite. Avec la multiplication du nombre d'engins, le risque de collision augmentera de même. « Il y a de tout là-haut ! insiste Christophe Bonnal, directeur technique au CNES. Des satellites fonctionnels et d'autres hors service, des étages de lanceur, des boulons, des sangles… »

Au total, on estime à près de 7000 tonnes la masse d'objets en orbite. Soit la masse de la tour Eiffel à vide. Vu du plancher des vaches, cela peut sembler bien peu. Mais au regard des risques que l'on court dans l'espace, c'est énorme. « Lancée à 28000 kilomètres-heure, une anodine bille de 1 centimètre déploie autant d'énergie qu'une Renault Laguna lancée à 130 kilomètres-heure», note Christophe Bonnal.

Certes, le problème n'est pas nouveau, et les professionnels ont appris à composer avec. Comme le souligne Lionel Suchet, « chaque année, on fait des manœuvres d'évitement de satellite ou de débris spatiaux ». Ce qui n'empêche pas parfois de frôler la catastrophe. Au cours des années passées, on a ainsi enregistré des alertes et même des collisions. En 1982, la navette a dû changer de trajectoire au dernier moment pour éviter un étage d'un lanceur soviétique. Un an plus tard, la station russe *Saliout 7* a été percutée par un vistemboire qui a fait un cratère dans l'un de ses hublots. De même pour le pare-brise de la navette. En 1986, le satellite français militaire d'écoute *Cerise* est mis hors service par un morceau du troisième étage d'une fusée *Ariane* lancée neuf mois plus tôt, rappelle Jacques Villain dans son ouvrage *Dans les Coulisses de la conquête spatiale*. En 1988, les occupants de la station *Mir* sont contraints de se réfugier dans le *Soyouz* amarré à la station, le temps de laisser passer un satellite américain.

Chaque année, la liste de ces incidents s'allonge à mesure que grossit celle des débris. À l'heure actuelle, sept mille très gros objets sont suivis à la trace depuis le sol par des radars, la plupart se trouvant sur l'orbite la plus polluée : entre 500 et 800 kilomètres d'altitude. Mais il y a tous les autres. « On recense à peu près vingt-cinq mille gros objets, de la taille d'un poing, explique Christophe Bonnal, qui préside la commission Débris, à l'IAA (International Academy of Astronautics). Si on descend au niveau du centimètre, on en compte environ sept cent vingt mille. Enfin, si l'on regarde à l'échelle du millimètre, il y en a environ cent trente-cinq millions ! »

Résultat, après avoir envoyé des engins dans l'espace pour observer la Terre, nous voilà obligés d'en créer d'autres, sur Terre, chargés d'observer les premiers... S'il est utile de les surveiller de près, reste néanmoins une question : comment s'en débarrasser ? Comment « dépolluer l'espace » ? Selon Christophe Bonnal, « c'est un problème à long terme, à cinquante ou cent ans. On a le temps de voir venir ». Pourtant, il faut déjà y penser. Des dizaines de *start-up* fourmillent, par ailleurs, d'idées sur la question. Le projet le plus sérieux aujourd'hui est celui de l'ESA, l'Agence spatiale européenne. Baptisé Clean Space, il consiste à traîner un filet derrière un étage de fusée ! « Cela tient de la pêche, sourit Christophe Bonnal. Mais, techniquement, on sait faire. »

****

Les déchets de notre très polluante espèce humaine ne sont pas les seuls à tournoyer autour de notre planète, loin de là. Au point que la chasse aux astéroïdes deviendra sans doute une part importante de l'espace de demain. Étoiles filantes, météores ou aérolithes (pierres de l'espace), comme les appellent les anciens, tous ces noms désignent en fait le même phénomène : des cailloux, des corps rocheux qui dérivent dans notre système solaire et dont certains coupent l'orbite de la Terre et brûlent dans notre atmosphère avant, parfois, d'atteindre le sol.

En moyenne, notre planète reçoit chaque jour 1 000 tonnes de matière céleste. « Essentiellement sous forme de grains microscopiques de poussière », précise l'astrophysicien Jean-Pierre Luminet, dans son livre *Astéroïdes, la Terre en danger*.

Sans le savoir, vous êtes peut-être, en ce moment même, couvert de poussières d'étoile... Voilà qui fait rêver, n'est-ce pas ? D'autant qu'avant d'atterrir sur la manche de votre manteau, ce microscopique grain de voie lactée vous aura offert un splendide spectacle. Car quand un morceau de roche lancé à 70 ou 80 kilomètres par seconde (soit 25 000 à 30 000 kilomètres-heure) pénètre dans notre atmosphère, il brûle en laissant derrière lui une magnifique traînée lumineuse zébrant le ciel : une étoile filante.

Combien sont ces cailloux célestes ? D'où viennent ces résidus – osons le terme de gravats –, de la formation de notre système solaire ? Eh bien, ce sont des blocs qui ne se sont pas agglomérés pour donner naissance à une ou plusieurs planètes. Leur taille va du millimètre à celui d'une miniplanète de près d'un millier de kilomètres de diamètre comme Cérès ! D'après Jean-Pierre Luminet, vingt-six de ces astéroïdes dépassent les 200 kilomètres de diamètre, cinq cents font plus de 13 kilomètres et un à deux millions, 1 kilomètre de diamètre. Parmi ces derniers, seuls cinq cent vingt mille ont été recensés. Ces millions de « terres du ciel » gravitent entre les orbites de Mars et de Jupiter. Un fossé de 560 millions de kilomètres où se sont regroupés des millions d'astéroïdes en un nuage appelé « ceinture principale d'astéroïdes ».

Dit comme ça, cela peut sembler bien lointain, voire anodin. Imaginez pourtant : si un seul des plus petits de ces cailloux heurtait notre planète, il libérerait l'énergie de plusieurs milliers de bombes atomiques. De quoi engendrer un terrible cataclysme qui dévasterait la plus grande partie de notre belle planète bleue. Alors, présentent-ils un danger ? Les cicatrices laissées sur le sol au fil des millénaires sont là pour nous rappeler que le risque d'un impact par un gros astéroïde est bien réel. Citons, par exemple, Meteor Crater en Arizona. Ce trou de 1 400 mètres de diamètre pour 190 mètres de profondeur est la signature laissée par une météorite de 50 mètres de diamètre et 150 000 tonnes, tombée sur terre il y a cinquante mille ans. Lancée à la vitesse de 12,8 kilomètres par seconde, celle-ci aurait perdu la moitié de sa masse initiale au cours de sa traversée de l'atmosphère. Mais ce qui restait a suffi à dégager une énergie équivalente à une explosion thermonucléaire cent cinquante fois plus puissante que celle d'Hiroshima...

Si elles n'atteignent pas toutes ce paroxysme cataclysmique, ces rencontres entre la Terre et un autre corps céleste sont plus fréquentes qu'on ne le croit. Dans son ouvrage, Jean-Pierre Luminet cite l'étude d'un ingénieur australien, qui, grâce à une simulation sur ordinateur, estime qu'au cours des dix mille dernières années, la Terre a été frappée trois cent cinquante fois par des astéroïdes de la taille de celui qui a ravagé la toundra en 1908. Petit rappel des faits : le 30 juin 1908, à 7 heures du matin, un fragment de comète de 50 mètres de diamètre se désintègre à 8 000 mètres d'altitude. Égale à celle de dix mille bombes A, son onde de choc va détruire la taïga sur 2 000 km^2 !

Toujours selon cette estimation australienne, au cours des dix mille prochaines années, les débris cosmiques pourraient tuer 13 millions de personnes, entraînant un chaos économique et des famines. Bref, largement de quoi faire peur et justifier les grands programmes de capture de ces « tueurs du ciel ». Mais avant d'envisager de les attraper – ou, tout du moins, de dévier un tant soit peu leur trajectoire de façon à éviter une collision fatale –, il convient de mieux connaître ce que les astrophysiciens ont appelé les géocroiseurs, à savoir ces cailloux dont l'orbite coupe celle de notre planète. Sans entrer dans les détails, de nombreuses sondes ont ausculté et photographié les plus gros objets de la ceinture d'astéroïdes, à courte distance. Gaspar, puis Ida, ont ainsi été observés de près par la sonde *Galileo* en 1991. Mathilde, Éros et Vesta ont montré leurs surfaces criblées de cratères à l'œil puissant du télescope *Hubble*, avant d'être survolées par la sonde américaine *Dawn*.

À deux reprises, des engins automatiques se sont même posés sur l'un de ces géants de l'espace. Le 14 février 2000, jour de la Saint-Valentin, la sonde américaine *NEAR* a caressé le sol d'Éros. Comme le fait remarquer Jean-Pierre Luminet, poète à ses heures, « les Américains sont de remarquables ingénieurs et aussi de grands sentimentaux ! » En 2010, c'est au tour des Japonais de poser en douceur une petite sonde sur l'astéroïde Itokawa et, surtout, d'en redécoller après avoir gratté sa surface pour rapporter sur Terre mille cinq cent quarante-trois grains de taille microscopique, dont la composition est comparable à celle de la plupart des cailloux du ciel.

Rappelons d'ailleurs que ces monstres inquiétants sont aussi les témoins de la formation de notre système solaire. Ils sont faits de cette matière originelle qui n'a pas subi d'altération autre que celle du bombardement des rayons cosmiques.

En manque d'idées et de grands programmes à forte dimension symbolique, la NASA a lancé le projet *ARM* – pour Asteroid Redirect Mission. « Nous attendons un nouveau vaisseau spatial conçu pour de longs périples, pour nous permettre de commencer les premières missions au-delà de la Lune », affirmait le président Barack Obama, en 2015. Et d'ajouter : « Nous commencerons par envoyer des astronautes vers un astéroïde, pour la première fois dans l'histoire. » Bref, vous l'avez compris, un grand show à l'américaine se prépare. On nous jouera bientôt le remake de l'arrivée d'Armstrong et d'Aldrin sur la Lune et l'on justifiera par la même occasion les 10 milliards de dollars dépensés pour la construction de la superfusée *SLS*.

Pour le moment, ce programme *ARM* existe en deux versions. La plus simple, l'option A, prévoit de faire partir un engin automatique appelé *ARV* à la rencontre d'un astéroïde de 7 mètres de long. L'idée : le capturer en l'enveloppant dans une sorte de ballon gonflable. L'*ARV* dévierait ensuite le caillou de sa trajectoire pour le placer autour de la Lune, sur une sorte « d'orbite-parking » où il ne présenterait plus aucun danger pour la Terre.

Autrement plus complexe, l'option B envisage d'envoyer vers l'astéroïde un vaisseau habité. Celui-ci se poserait en douceur à sa surface, et des astronautes seraient chargés d'y prélever des échantillons pour les rapporter sur Terre. Du grand spectacle en direct, en couleur et, pourquoi pas, en relief !

Comme souvent avec les Américains, le show grandiose dissimule aussi des arrière-pensées économiques. En 1986, Thomas Paine, alors directeur de la NASA, avait prophétisé que les astéroïdes constitueraient l'une des principales sources de développement économique du siècle prochain. En un mot : la prochaine « ruée vers l'or » se déroulera peut-être dans le milieu interplanétaire, où des entreprises privées exploiteront les ressources minérales. Une société a même été créée : la Planetary Ressource Inc., à laquelle se sont associés des industriels comme le P.-D.G de Google. Pour eux, les quelque dix mille astéroïdes identifiés représentent un joli pactole de métaux purs (fer, nickel, platine, cobalt), dont la concentration est dix mille fois supérieure à celle de nos plus beaux filons terrestres. « Les minéralogistes ont calculé qu'un kilomètre cube d'astéroïde contient 7 milliards de tonnes de fer, 10 milliards de tonnes de nickel et suffisamment de cobalt pour satisfaire la consommation mondiale pendant trois mille ans », explique Jean-Pierre Luminet. Reste néanmoins à résoudre les contraintes techniques d'une telle exploitation des ressources spatiales et, surtout, à en démontrer la rentabilité économique.

****

« Le XXIe siècle sera spatial ou ne sera pas ! » Espérons que cette prophétie d'André Brahic, célèbre astrophysicien et coauteur de *Terres d'ailleurs*, se réalisera. Elle résume à elle seule la formidable contribution des technologies spatiales à la découverte de notre univers.

Si l'on devait résumer à quelques idées trois mille ans de découvertes, nous ne retiendrions que quelques étapes.

1609 : Galilée, reprenant l'idée d'un opticien hollandais, Hans Lippershey, empile des verres de bésicles dans un long tube. La première lunette astronomique vient de voir le jour. D'un seul coup, l'humanité n'est plus frappée de myopie. Elle peut regarder au-delà de l'horizon. L'univers se rapproche – ou disons que nos voisines immédiates se rapprochent. Quel extraordinaire bond en avant dans la connaissance : la Lune a des montagnes, Jupiter des satellites, Vénus présente des phases…

Grâce à sa lunette, Galilée devient aussi le père de la cinématique spatiale. Non seulement il scrute la surface des planètes, mais il tente d'en comprendre le mouvement. Immédiatement, se pose la question de la formation du système qui s'épanouit sous ses yeux. Les planètes sont-elles des sous-produits de la formation des étoiles, comme le soleil, et ce mécanisme est-il inéluctable, ou bien notre système solaire est-il « une anomalie dans l'univers », comme le rappelle André Brahic ?

La réponse nous a été donnée il y a vingt ans avec la découverte des premières exoplanètes. A priori, la nouvelle n'aurait jamais dû filtrer de la salle de conférences de l'observatoire d'Arcetri, non loin de Florence, en Italie : d'habitude, ce genre de colloque où se réunissent les spécialistes d'astrophysique stellaire ne suscite pas un immense intérêt dans le grand public. Mais c'était sans compter la présence de quelques journalistes et d'Internet... Malgré l'apparente complexité du sujet, la nouvelle fait rapidement le tour du monde : deux astronomes de l'observatoire de Genève, Michel Mayor et Didier Queloz, ont découvert une planète grosse comme Jupiter tournant autour d'une étoile de type solaire, 51 Pegasi. C'est la première fois que l'on découvre une planète hors de notre bon vieux système solaire !

Passons sur la méthode employée par les deux scientifiques suisses pour retenir que, grâce à elle, plus de deux mille exoplanètes tournant autour d'une étoile ont depuis été répertoriées.

Mais avant d'en arriver là, l'histoire des découvertes spatiales a dû passer par deux étapes capitales, l'une au sol, l'autre dans l'espace. Galilée, sans le savoir, avait lancé la course aux instruments. Au fil des siècles, ces derniers se sont faits de plus en plus puissants. Le principal tournant date de 1948, avec la mise en service du télescope, géant pour l'époque, du mont Paloma, en Californie. Baptisé Hale, son miroir de 5 mètres de diamètre a permis d'arpenter l'univers, de confirmer la nature des nébuleuses appelées galaxies et, surtout, de valider la théorie d'un univers en expansion.

Le 4 octobre 1959, quasiment dix ans après la mise en service de ce télescope géant, une sonde automatique, *Luna 3* lancée par les Soviétiques, survolait la Lune et prenait les premières photos de sa face cachée. Des clichés de bien piètre qualité, qui firent prendre conscience aux Américains que les Soviétiques étaient en retard sur le plan électronique, mais qui bouleversèrent le monde de l'astronomie. D'un seul coup, on mesurait l'immense champ de découvertes qu'allait offrir l'astronautique. En voyageant dans l'espace, l'homme allait pouvoir s'affranchir de l'atmosphère qui gênait jusque-là notre observation directe de l'univers, mais aussi se rapprocher des « terres du ciel », les observer de près et même s'y poser.

C'est ce qui se fera avec la Lune, Mars, Vénus et un satellite de Saturne, Titan. La liste est déjà longue de ces robots envoyés en éclaireur près d'un autre sol que le nôtre, quand ce n'est pas carrément sur lui. Ils avaient pour nom *Mariner 2*, qui le premier a survolé Vénus, *Mariner 4*, qui délivra les premières images du sol de Mars, portant un coup fatal au mythe des canaux martiens, *Mariner 10* qui, avec un survol de Mercure, nous révéla un caillou criblé de cratères, sans oublier *Pioneer 10* et *Pioneer 11*, qui survolèrent les deux géants, Jupiter et Saturne, suivis, quelques années plus tard, par les sondes *Voyager 1* et *2*, auxquelles on doit les images époustouflantes des anneaux de Saturne.

Pourtant, la plus belle et la plus grande contribution de l'espace à l'astronomie est et restera pour longtemps la mise en orbite du premier télescope spatial *Hubble*. De la taille d'un autobus, avec ses 13 mètres de long, ses 4,2 mètres de diamètre et ses 11 tonnes, il a révolutionné l'astronomie depuis Galilée. Son miroir de 2,4 mètres de diamètre lui permet de voir quasiment jusqu'aux limites de l'univers. Il est capable d'apercevoir la lueur d'une bougie située à 10000 kilomètres de lui. Et comme il est très stable, il peut suivre l'évolution des galaxies. Quelle moisson nous lui devons !

Chaque semaine, l'infatigable photographe de l'univers expédie vers le sol l'équivalent d'une encyclopédie qui ferait 1 kilomètre d'épaisseur. Bref, il y a un avant et un après *Hubble*. S'appuyant sur cette incroyable réussite, son successeur, le *JWST* (pour *James Webb Spatial Télescope*), sera cent fois plus puissant. Grâce à son miroir de 6,5 mètres de diamètre, il réalisera le rêve de tous les astronautes : observer les premières lueurs de l'univers lorsque celui-ci est devenu visible, il y a quelque 13,8 milliards d'années. Une nouvelle page de l'astronomie spatiale va bientôt s'écrire…

Enfin, dans l'histoire de l'espace au service de l'astronomie, une mention particulière revient à *Rosetta*. Frôler le noyau d'une comète, prendre quelques clichés à la va-vite, aller même jusqu'à la percuter… Tout cela avait déjà été réalisé. Citons, pour mémoire, quelques grandes premières. D'abord, *Giotto*, la sonde européenne. Le 14 mars 1986, elle passe à seulement 596 kilomètres de la célèbre comète de Halley. Un coup de maître ! Malheureusement, sa caméra ne survit pas à l'impact des poussières éjectées par la grande voyageuse. Reste que, pour la première fois, les astronomes avaient vu en direct ce qu'ils théorisaient : une boule de neige sale, comme l'a baptisée l'Américain Fred Whipple, qui expulse des jets de gaz et des poussières sous l'impact du rayonnement solaire.

Cette réussite européenne eut aussi le mérite de faire renaître la curiosité pour les comètes. D'où viennent-elles ? De quoi sont-elles composées ? Leur doit-on l'origine de l'eau sur Terre ? Ont-elles participé à la dissémination de matière organique, prélude à l'apparition de la vie ? Autant de questions, encore sans réponse, à la fin du siècle dernier.

N'oublions pas que l'intérêt majeur des comètes est d'être constituées de matériaux remontant à la naissance de notre système solaire et, en quelque sorte, conservées au frigo et au vide interstellaire.

La réussite de *Giotto* fut suivie de plusieurs missions américaines, aux noms plus évocateurs les uns que les autres. *Stardust*, lancée en 1999, parvint à rapporter sur Terre des poussières saisies lors de son passage dans la chevelure de Wild 2. Le 4 juillet 2005, *Deep Impact* survola le noyau de 9P Temple à 500 kilomètres de distance et en profita pour larguer un module de 370 kilos équipé d'une caméra, qui percuta le noyau de la comète en soulevant une gerbe de poussières, ensuite analysées par les instruments de la sonde.

Pour aller plus loin dans la connaissance, il fallait mettre sur pied une très ambitieuse mission de retour d'échantillons. Mais cette fois-ci pas question de se contenter des particules éjectées par la comète lors de son dégazage en passant à proximité du soleil : il s'agit bel et bien de prélever de la matière directement sur le noyau. Un scénario très audacieux, étudié dans les années 1990 dans le cadre d'une mission conjointe ESA-NASA et bien vite rejeté en raison de son coût.

Fort heureusement, l'Europe n'abandonne pas l'idée. C'est ainsi qu'est née *Rosetta*. Mission double : une sonde, qui se met en orbite autour du noyau de la comète au nom impossible à prononcer (67P Churyumov Gerasimenko, que l'on prononçait Tchouri et que l'on rebaptisa bien vite ainsi), et un atterrisseur, un petit robot qui va défrayer la chronique : *Philae*.

La suite, on la connaît. Après un voyage de dix ans et quelque 6,6 milliards de kilomètres, *Rosetta* est réveillée le 20 janvier 2014 et donne signe de vie. Étonnante performance technologique saluée par des cris de joie dans la salle de contrôle de l'ESOC, à Darmstadt, en Allemagne. Mais ce n'est rien à côté de ce qui va arriver.

Au mois d'août, *Rosetta* se met en orbite à 100 kilomètres d'altitude autour du noyau de Tchouri. Une grande première délicate étant donné la très faible gravitation, d'autant plus délicate que Tchouri se déplace à 66 000 kilomètres-heure autour du soleil et qu'entre le moment où l'on envoie un ordre à la sonde et celui où il est exécuté, il s'écoule en moyenne vingt-huit minutes.

« Vous êtes les meilleurs pilotes du monde ! » C'est en ces termes que Jean-Jacques Dordain, le directeur général de l'ESA, salue l'exploit.

Nous sommes en plein mois d'août et l'événement, il faut bien le reconnaître, ne passionne pas les rédactions. Seules les premières images de la surface du noyau retiennent leur attention. On leur consacre un *« off »*, quelques images commentées par le présentateur, en fin de journal…

Et pourtant, quelle beauté ! Quelle précision ! Quelle netteté et quelle richesse ! En quelques clichés, tout un pan de nos connaissances sur les comètes s'écroule. Terminée l'idée d'une boule de neige sale. La surface de Tchouri n'est que crevasses, falaises, cirques. Elle est aussi plus noire que prévu et recouverte de poussière. Parfois, devant une étendue plate couverte de dunes, on se croirait en plein Sahara. Plus loin, face un cratère créé par un effondrement du sol après une activité de dégazage, on se croirait sur la Lune.

Reste, cependant, la partie la plus spectaculaire de la mission : la tentative d'atterrissage en douceur du petit robot *Philae*. La date de l'exploit est fixée au 12 novembre.

Par expérience, je sais que seul le direct à la télévision est susceptible d'intéresser les journalistes et les téléspectateurs. Quelques mois avant le jour J, je prends donc contact avec la Cité de l'espace, à Toulouse. Pourquoi la ville rose et non Darmstadt en Allemagne ou la Cité des sciences à Paris ? Tout simplement parce que c'est là que se trouve le Centre de pilotage et de contrôle de *Philae*, le SONC.

Là-bas, sur mes recommandations, la Cité de l'espace a fait réaliser une maquette grandeur nature de *Philae*. Elle a aussi reproduit un morceau du sol du noyau de Tchouri et poussé le réalisme jusqu'à suspendre *Philae* à un câble pour le faire descendre lentement jusqu'au sol : un plateau télé de rêve pour tenir l'antenne et faire vivre l'événement en direct. Je le sais pour avoir déjà expérimenté la méthode lors de l'arrivée du robot *Curiosity* à la surface de Mars.

Le 11 novembre, nous organisons une répétition avec le JRI (le cameraman, dans notre jargon) d'iTélé, Romain Ripouteaux, Philippe Droneau, de la Cité de l'espace, Olivier Sanguy, envoyé spécial à Darmstadt, et Sylvestre Maurice, planétologue à l'Observatoire Midi-Pyrénées. Bilan : le site est trop sombre. Faute de lumière suffisante, la caméra ne verra pas grand-chose et ne fera pas la différence entre le fond noir d'encre de l'espace et le robot *Philae*. Mais allez trouver des projecteurs un 11 novembre… Jean-Baptiste Desbois, le dynamique directeur de la Cité de l'espace, remue toutes les sociétés de production de l'agglomération toulousaine. « J'en ai trouvé ! » hurle-t-il dans le téléphone.

Le 12 novembre, nous sommes donc fin prêts. Le direct commence dans l'édition de 7 h 30 du journal de Bruce Toussaint. Curieusement, nous sommes les seuls sur le coup. Apparemment, l'événement n'a pas accroché les autres rédactions. « Qu'importe, on continue ! » me souffle dans l'oreillette le rédacteur en chef, Marc Cantarelli.

10 h 03, *Rosetta* libère *Philae* qui va entamer sa chute sur Tchouri. Là, les événements nous donnent raison : petit à petit, le public arrive, de plus en plus nombreux. Puis, France 3 et l'AFP débarquent à leur tour. La mayonnaise est en train de prendre. Longue à démarrer, la machine médiatique se met enfin en marche. Bientôt, la France entière va se passionner pour l'épopée de ce paquet d'instruments, gros comme un réfrigérateur, juché sur trois frêles pattes.

« Alea jacta est ! » s'écrie Jean-Jacques Dordain, le directeur général de l'ESA. « À partir de maintenant, on ne peut plus rien faire pour *Philae*. Mais on a fait tout ce qu'il fallait depuis vingt ans pour que cela réussisse », rappelle Andrea Accomazzo, le responsable des opérations de vols. Pour nous, journalistes en direct, il faut meubler la longue attente. Marc Pircher, directeur du CNES à Toulouse, vient en renfort et se révèle un précieux intervenant. Il est en liaison avec le SONC, la salle de contrôle qui commande *Philae*. À Darmstadt, Olivier Sanguy suit pour nous les opérations.

Peu après 15 heures, une salve d'applaudissements salue l'arrivée des premières images de la séparation entre *Rosetta* et son passager, *Philae*. Jean-Pierre Bibring, de l'Institut d'astrophysique spatiale de l'Université Paris-Sud, montre la photo prise par la caméra CIVA : c'est *Rosetta* vue par *Philae,* cinquante secondes après la séparation. Ces images, nous les recevons en direct à Toulouse par le biais d'une liaison vidéo permanente. L'ESA a mis le paquet !

Sur une autre photo, prise par *Rosetta* cette fois, nous voyons le module *Philae* avec ses trois pieds déployés. C'est la confirmation que la lente descente vers le noyau de la comète se déroule parfaitement. Sur nos écrans, la salle de contrôle de l'ESOC, à Darmstadt, paraît silencieuse. Des centaines de spécialistes retiennent leur souffle. « Encore une heure, Michel ? » m'interroge la charmante Annabelle de Chabaneix depuis la régie d'iTélé. « Continue, tiens l'antenne ! C'est passionnant ! » La chaîne est passée en édition spéciale. Le fameux *Breaking news*. Priorité au direct. Heureusement qu'avec Philippe Droneau, de la Cité de l'espace, qui anime une émission spéciale sur le Net, et avec Olivier Sanguy, dans la salle de contrôle de l'ESOC, nous avons prévu le coup : maquette du noyau de la comète, en forme de cacahuète, témoignages de scientifiques… Le grand jeu. Il faut tenir jusqu'à l'annonce de l'arrivée de *Philae* sur le noyau cométaire.

17 h 04, la nouvelle tombe. À l'ESOC, tout le monde est debout. Tonnerre d'applaudissements. Accolades. C'est gagné. D'ordinaire si réservé, Jean-Jacques Dordain y va de son couplet, rappelant celui d'Armstrong sur la Lune : « C'est un grand pas pour la civilisation. » Face caméra, les déclarations s'enchaînent, tandis qu'un peu plus loin le champagne commence à couler. Matt Taylor, le responsable scientifique de la mission, exulte et exhibe, sur sa cuisse droite, un tatouage représentant *Rosetta* et *Philae* !

Soudain, tout se fige. On sent que quelque chose ne se passe pas comme prévu. Marc Pircher, en liaison avec le SONC, est perplexe. « Nous n'avons pas l'acquisition de *Philae* et pourtant, ajoute-t-il, il a dû toucher le sol. On dirait qu'il se déplace encore ! » Le point d'information prévu à 19 h 30 est reporté.

Laurence Ferrari me presse de questions. 20 heures. Arrivent, enfin, quelques informations. Avec humour, Jean-Jacques Dordain déclare : « *Philae* s'est posé sur la bonne comète. » Mais il oublie de préciser que *Philae* est en mauvaise posture. Ce que Marc Pircher me confirme en direct : « *Philae* a des difficultés de communication. Son antenne est mal orientée ! » On n'en saura pas plus.

Ce n'est que le lendemain que la nouvelle tombe : *Philae* a fait des rebonds. Un premier de près d'un kilomètre qui a duré pas loin de deux heures, suivi d'un deuxième de seulement sept minutes. Et voilà le robot comme accroché après une paroi, une sorte de falaise. Pourquoi de tels sauts ? Tout simplement à cause de la gravité. Sur Tchouri, elle est cent mille fois plus faible que sur notre planète… Du coup, les 100 kilos de *Philae* se sont transformés en 1 gramme. Vous lisez bien : 1 gramme. En clair, sur la comète, *Philae* ne pesait pas plus qu'une feuille de papier sur Terre ! Et comme l'impact s'est produit à environ 3,6 kilomètres-heure, toute l'énergie cinétique, qui n'est fonction que de la masse et de la vitesse, s'est transformée en énergie potentielle et a fait rebondir le petit robot comme dans un ralenti de cinéma. Les systèmes pyrotechniques, qui devaient fixer *Philae* au sol, ne se sont pas déclenchés.

Malgré ce contretemps, la mission reste une formidable réussite technique, humaine et scientifique. L'Europe a fasciné le monde entier. « Nous étions revenus quarante-cinq ans en arrière avec l'arrivée d'*Apollo 11* sur la Lune », résume Sylvestre Maurice. Dans son éditorial, le journal *Le Monde* résume ainsi l'épopée de *Rosetta* : « Une fantastique aventure humaine qui a réussi à réveiller la magie de la conquête spatiale... »

Voilà, peut-être, le plus important. Avec *Rosetta*, tous les ingrédients étaient réunis pour que la recette soit bonne. L'objet : une comète, auréolée de tous les mystères propres à ce genre de corps céleste. La mission : dix années de vol, 6 milliards de kilomètres parcourus. L'exploit : réussir, après tant de temps et de distance, un rendez-vous avec un objet d'à peine 4 kilomètres de diamètre. Le suspens : une chute libre de sept heures depuis *Rosetta* jusqu'au noyau, sans moteur et sans possibilité de corriger la trajectoire d'un *Philae* dont les 100 kilos ne pesaient plus qu'un gramme ! Enfin, la sonde et son petit robot ont offert aux médias et au public des images d'une netteté et d'une beauté bluffante. L'espace a enfin renoué avec l'épopée, retrouvé son incroyable puissance évocatrice et conquis à nouveau les cœurs et les esprits. Il était temps !

BIBLIOGRAPHIE

ARNOULD Jacques, *Une perle bleue*, Paris, Éditions du Cerf, 2015.

BOUTTIER Michel, *Ariane, un rêve, une réalité*, Paris, Éditions De Broca, 2011.

BRAHIC André et SMITH Bradford, *Terres d'ailleurs*, Paris, Odile Jacob, 2015.

CHABBERT Bernard, *Les Fils d'Ariane*, Paris, Plon, 1986.

CHRÉTIEN Jean-Loup et BAUDRY Patrick, *Spatiale Première*, propos recueillis par Bernard Chabbert, Paris, Plon, 1982.

CHRÉTIEN Jean-Loup et ALRIC Catherine, *Rêves d'étoiles*, Monaco, Alphée, 2009.

COUÉ Philippe, *Cosmonautes de Chine*, Paris, L'Harmattan, 2003.

COUÉ Philippe, *Shenzou : les Chinois dans l'espace*, Bègles, L'Esprit du Temps, 2013.

DURAND DE JONGH France, *De la fusée Véronique au lanceur Ariane. Une histoire d'hommes, 1945-1979*, Paris, Stock, 1998.

LEHOT Franck, *Voler en apesanteur*, Paris, Vuibert, 2012.

LUMINET Pierre, *Astéroïdes, la Terre en danger*, Paris, Le Cherche-Midi, 2012.

MICHINE V.-P., *Pourquoi nous ne sommes pas allés sur la Lune*, Toulouse, Cépaduès, SEP & CNES, 1993.

PAULIS Pierre-Emmanuel, *Un Belge sur Mars*, Bressoux-Liège, Éditions Dricot, 2007.

VILLAIN Jacques, *À la conquête de l'espace : de Spoutnik à l'homme sur Mars*, Paris, Vuibert, 2009.
VILLAIN Jacques, *Baïkonour, la porte des étoiles*, Paris, Armand Colin & SEP, 1994.
VILLAIN Jacques, *Dans les coulisses de la conquête spatiale*, Toulouse, Cépaduès, 2003.
VILLAIN Jacques, *Mir, le voyage extraordinaire (1986-2001)*, Paris, Le Cherche Midi, 2001.

REMERCIEMENTS

Pour leurs conseils : Jean-Yves Le Gall, président du CNES ; Jean-Loup Chrétien, astronaute ; Michel Tognini, astronaute ; Jean-François et Laurence Clervoy ; Claudie Haigneré, astronaute ; Bernard Chabbert, journaliste ; Jacques Villain et Jean-Paul Rouault ; Lionel Suchet, CNES ; Christophe Bonnal, CNES ; Jean-Pierre Luminet, astrophysicien ; André Brahic †, astrophysicien ; et Elvis Tamboire, professeur de mécanique spatiale.

Pour leur soutien : Françoise Bujon, Olivier Wallerand et Marie-Ange Sanguy.

La revue *Espace & Exploration* pour sa relecture.

TABLE DES MATIÈRES

Achevé d'imprimer par Ermes Graphics
à Turin (Italie), en septembre 2016
Dépôt légal : septembre 2016
ISBN : 978-2-916-552-71-2